日本語から引く

技術英語の名詞・動詞

使い分けハンドブック

上田秀樹 著

アルク

はじめに

日本の学校の英語教育において、文法訳読式からコミュニケーション重視の教授手法へのシフトが始まってから、すでに四半世紀もの歳月が流れました。しかし、大学で学生に英語を教えている立場からは、そうした取り組みはいまだに期待された成果にはつながっていないように見えます。現在でも日本人の大多数は、ネイティブスピーカーとスムーズにコミュニケーションをとれる力を身につけることなく、高校あるいは大学までの英語教育を終えています。また、リーディングとライティングに関しては、従来の教授法にさほど大きな問題はないという認識のもとにこれまで大幅な改革が行われておらず、平均的な日本人の英語学習者は脳内で日本語を介在させるプロセスで英語の読み書きを行っています。

本書は、その混沌とした日本の英語教育を経験し、その後技術分野における英語のライティングや文書作成に携わっている方々への一助となることを願って企画したものです。この企画の原点は、私がかつて精密機器メーカーに在籍していたころにまでさかのぼります。

メーカー勤務当時、私は通信機器を開発・設計する技術部門で、ハードウエアやソフトウエアの仕様書などを基に英語のマニュアルを書き起こす業務に従事していました。そのときに、多くの技術者から、彼／彼女らが作成した英文について意見を求められました。その中には、英語のネイティブスピーカーにとって理解しにくいものも少なからずあり、それらはまさに日本の英語教育の実情を反映するような手法によって生み出されていました。すなわち、彼／彼女らは、伝えたい内容についてまず日本語で考えを整理し、頭の中で日本語の文章を作り、それを単語または文節ごとに英語に置き換えていたのです。そのため、出来上がった英文は日本語の構文を強く引きずり、なおかつ言葉が不適切な英単語に置き換えられたものになっていました。

日本語と英語は、全く異なる歴史的な背景と文化的な土壌の中で変遷を遂げ、現在の言語になっています。当然ながら、同じ内容を伝える場合でも、この2言語間では大きく異なる構文が用いられることになります。そのため、日本語で考えを整理して作った文章をそのまま英語に置き換えようとすると、英語のネイティブスピーカーにとってはスムーズに理解できない英文となってしまうのです。これを回避するには、英語で考え、英語でダイレクトに表現するしかないと言えます。

人間は言葉を用いて考えを整理しますので、日本人が伝えたい内容を母語である日本語で検討することは必然だと言えるかもしれません。しかし、せっかく考えをうまく整理できたとしても、最終的に出来上がった英文がネイティブスピーカーに理解されないのでは、コミュニケーションの目的を達成することができません。そのため、業務などで日常的に英語を使う必要があるのであれば、英語で考える力を根気強く、少しずつ高めていくことがどうしても求められるのです。

構文と同様に重要なのが単語です。日本語と英語では、「もの」や「こと」を表す単語、用語の対応も大きく異なります。形のあるもの（目に見えるもの）を表す名詞は、多くの場合、日本語と英語の言葉が1対1で対応しています。しかし、形のないもの（目に見えないもの）を表す名詞や名詞以外の品詞については、日本語と英語の言葉が1対1で対応することはほとんどありません。したがって、英文を作成する際に日本語を英語に置き換える手法を用いると、不適切な単語を使ってしまう可能性が高くなるのです。

本書は、この「日本語を不適切な英単語に置き換えてしまう」という問題に対処する上で役立てていただきたいと考えて企画したものです。技術情報を伝えるうえで頻繁に用いられる日本語の150の名詞と100の動詞に対応する複数の英語について、細かいニュアンスの違いや使い分け方を、できる限り分かりやすく説明しています。紹介している名詞の大多数は、形のないもの（目に見えないもの）を表すものです。そして動詞も、英文を作成する際に多くの日本人が単語の選択に迷うと思われるものばかりです。

本書が、技術分野における英語のライティングや文書作成に携わる1人でも多くの方々のお役に立てることを、心から願っています。

2021年9月吉日

上田秀樹

著者略歴

上田 秀樹（かみた ひでき）

延べ15年にわたって精密機器メーカー2社に在籍し、英語でのテクニカルコミュニケーション業務に携わる。（株）ケンウッド通信事業部にてチーフエンジニアを務めた後、英語でのテクニカルコミュニケーションの指導方法を研鑽すべく留学。アメリカとオーストラリアの大学院にてテクニカルコミュニケーションの教授法並びに英語教授法の研究に従事する。カーネギーメロン大学修士課程修了（プロフェッショナルライティング修士）、シドニー工科大学修士課程修了（英語教育学修士）、サザンクイーンズランド大学博士課程修了（教育学博士）。現在、法政大学情報科学部・非常勤講師。

主な著書に『エンジニアのための英文メールライティング入門』（朝日出版社）、『ネイティブの心をつかむ英文マニュアル作成メソッド』（電気書院）、『ネイティブに通じる英文技術文書の書き方』（工業調査会）、『50の構文でわかる技術英語の書き方』（工業調査会）『英語で考える力をつけるトレーニングブック』（ベレ出版）がある。

本書の使い方

本書は、日本語を英語に置き換える際の単語の使い分けを調べるためのリファレンスです。見出し語は日本語の50音順に並んでおり、辞書のように引けます。また、索引は英語から掲載ページを参照できるようになっています。

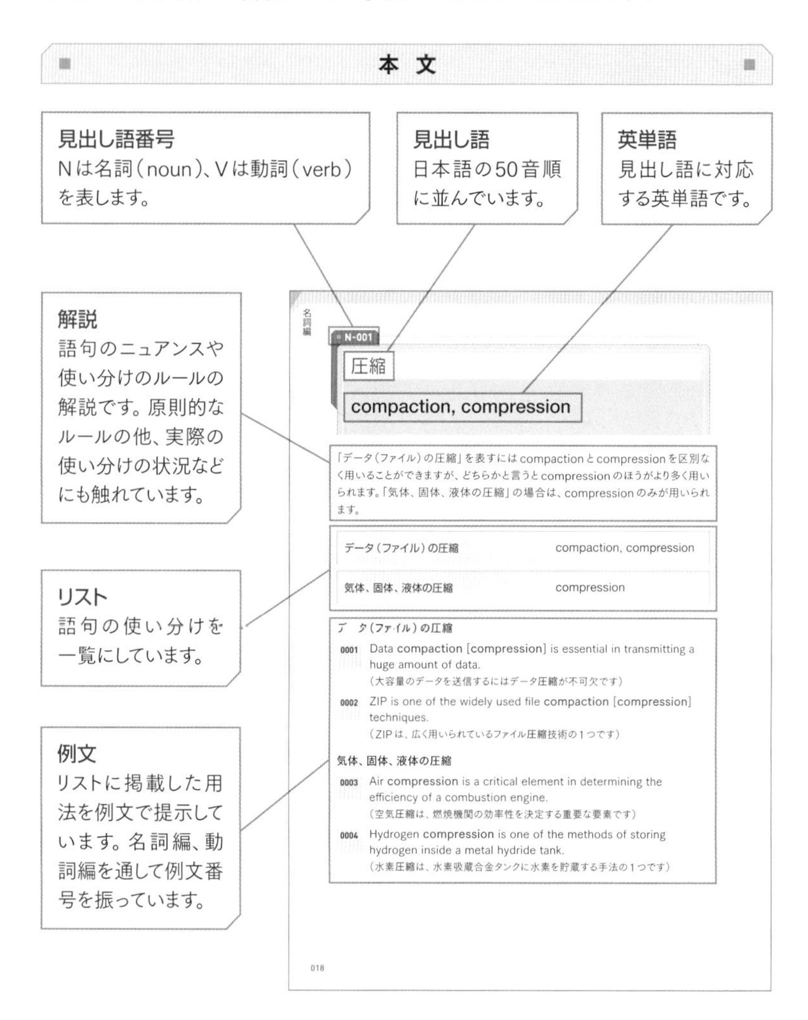

索引

英単語
本文ページの「英単語」をアルファベット順に並べています。名詞と動詞で綴りが同じ単語がある場合は、名詞に(N)、動詞に(V)の記号を付しています。

A

abandon V-062, 0840
ability N-108, 0430, 0431, 0721
abnormality N-004, 0019
abort (N) N-095, 0376
abort (V) V-066, 0856

見出し語番号
英単語がどの見出し語番号のページに掲載されているかを示しています。

例文番号
英単語が、本書で紹介しているのと同じ意味で用いられている例文を示しています。

日本語の文を英語に置き換えるときには、本書を日本語から引いて該当する英語やその使い方を確認するとよいでしょう。和英辞典などを引いて複数の英単語が出てきたときには、本書の索引を用いて英語から調べると便利です。解説では、可能な限り単語の使い分けの「考え方」を説明しており、異なる分野、文脈の文章にも応用ができるようになっています。

CONTENTS

名詞編

動詞編

名詞編

「名詞編」では、技術情報を伝える文脈で頻繁に用いられる150の日本語の名詞に対応する英語が、実際にどのように使い分けられているのかを紹介します。

N-001

圧縮

compaction, compression

「データ（ファイル）の圧縮」を表すにはcompactionとcompressionを区別なく用いることができますが、どちらかと言うとcompressionのほうがより多く用いられます。「気体、固体、液体の圧縮」の場合は、compressionのみが用いられます。

データ（ファイル）の圧縮	compaction, compression
気体、固体、液体の圧縮	compression

データ（ファイル）の圧縮

0001 Data **compaction** [**compression**] is essential in transmitting a huge amount of data.
（大容量のデータを送信するにはデータ圧縮が不可欠です）

0002 ZIP is one of the widely used file **compaction** [**compression**] techniques.
（ZIPは、広く用いられているファイル圧縮技術の１つです）

気体、固体、液体の圧縮

0003 Air **compression** is a critical element in determining the efficiency of a combustion engine.
（空気圧縮は、燃焼機関の効率性を決定する重要な要素です）

0004 Hydrogen **compression** is one of the methods of storing hydrogen inside a metal hydride tank.
（水素圧縮は、水素吸蔵合金タンクに水素を貯蔵する手法の１つです）

N-002

アプリ

application, application program, application software, software application

「アプリ」を表す用語としてはapplication、application program、application software、software applicationなどが区別なく用いられます。ただ、日本語と同様に英語でも簡略な言葉が好まれるようになっていることから、今後はapplicationが一般的に使われるようになると予想されます。スマートフォン向けのアプリについては、さらに簡略化したappがすでに一般的に用いられています。なお、softwareは不可算名詞で複数形にできないため、複数のアプリを表す場合はapplications、application programs、software applicationsのいずれかを用います。

0005 If the memory space is insufficient, the **application [application program / application software / software application]** will not run smoothly.
（メモリ容量が不十分だと、**アプリ**はスムーズに動作しません）

0006 Many new functions were added to the **application [application program / application software / software application]** when its version was upgraded.
（バージョンアップ時に、**アプリ**に多くの新しい機能が追加されました）

0007 When the **application [application program / application software / software application]** is started, game data are read from the online gaming site by the application.
（**アプリ**を起動すると、オンラインゲームのサイトからゲームのデータがアプリに読み込まれます）

複数のアプリ

0008 Before installing the utility, quit all running **applications [application programs / software applications]**.
（ユーティリティをインストールする前に、開いているすべての**アプリ**を終了してください）

N-003

安全性

safety, security

「安全性」を表す単語は、それが予想外の出来事（事故）に関するものか、意図的（作為的）な行為に関するものかで使い分けることができます。

予想外の出来事（事故）に関する安全性	safety
意図的（作為的）な行為に関する安全性	security

予想外の出来事（事故）に関する安全性

0009 The vehicle has adopted various measures to ensure the **safety** of drivers.
（車はドライバーの**安全性**を保障すべく、さまざまな対策を講じています）

0010 **Safety** must be a primary consideration in the design of devices.
（装置の設計において、**安全性**が最優先に考慮されなければなりません）

意図的（作為的）な行為に関する安全性

0011 To ensure the **security** of data, all files are encrypted by the computer before being sent.
（データの**安全性**を保障すべく、すべてのファイルは送信される前にコンピュータ上で暗号化されます）

0012 **Security** is a very important element in the development of online video games.
（**安全性**は、オンラインビデオゲームの開発の上で大変重要な事項です）

N-004

異常

abnormality, defect, error, failure, fault, malfunction, problem

日本語の「異常」は、実にさまざまな意味で用いられます。「異常」を英語で表す際は、その種類に応じて、おおむね以下のように単語を使い分けます。

機械、機器、装置などの物理的な故障	defect
機械、機器、装置などの動作の不具合	failure, fault, malfunction
プログラムのバグに起因するソフトウエアの動作の不具合	error
プログラムのバグ以外に起因するソフトウエアの動作の不具合	failure, fault
データのやりとりにおける不具合	error, failure
機械、機器、装置などの異音、異臭、煙、火炎など	problem
身体や精神の異常	abnormality

異音、異臭、煙、火炎といった異常を表すときに、日本人はabnormalityを多用する傾向がありますが、これは身体や精神の異常などに用いられる単語で、それ以外の異常については一般的には使用しません。なお、英語のproblemは日本語の「異常」と似たような意味を持ち、上記のいずれの異常もproblemで表すことができます。しかし、日本語の「異常」と同様に、抽象的な意味しか伝えないので、どのような異常であるかを詳しく説明する必要があります。

機械、機器、装置などの物理的な故障

0013 If a **defect** is found on the device, stop operating it immediately.
（装置に**故障**が見つかったら、すぐに操作をやめてください）

機械、機器、装置などの動作の不具合

0014 If the machine is not installed properly, a **failure** [**fault** / **malfunction**] can occur when it is running.
（機械は正しく設置されないと、運転中に**不具合**が生じる恐れがあります）

プログラムのバグに起因するソフトウエアの動作の不具合

0015 Please let the company know if the same **error** occurs again on the software.
（もしソフトウエアに再度同じ**不具合**が生じましたら、当社へお知らせください）

プログラムのバグ以外に起因するソフトウエアの動作の不具合

0016 If the memory space is insufficient, a system **failure** [**fault**] can occur.
（メモリ容量が不足していると、システムの**不具合**が生じる恐れがあります）

データのやりとりにおける不具合

0017 A communication **error** [**failure**] occurs when the router stops responding.
（ルーターが応答しなくなると通信の**不具合**が生じます）

機械、機器、装置などの異音、異臭、煙、火炎など

0018 If detecting a **problem** such as the generation of an unusual sound or odor on the machine, immediately turn off the power to the machine.
（機械上で異音や異臭などの**異常**に気づいたら、直ちに機械の電源を切ってください）

身体や精神の異常

0019 Patients with Cohen syndrome have various physical **abnormalities**.
（コーエン症候群の患者は、さまざまな身体的**不具合**を有しています）

N-005

板

board, plate

「板」を特徴づける主な要素には、材質、厚さ、硬さ、長さ、大きさなどがありますが、以下の区別以外にboardとplateを厳密に使い分けることは一般的に行われません。ただし、PC boardのようにすでに定着している用語がある場合には、それを用います。

木製、紙製の板	board
電気・電子部品に用いられる金属板	plate
上記以外の板	board, plate

木製、紙製の板

0020 Generally, a good wooden **board** is made up of only a single species of tree.
（概して、良い木板は1種類の木のみで作られています）

電気・電子部品に用いられる金属板

0021 The composite component is composed of a metal **plate** with plastics on both faces.
（その複合部品は、両面にプラスチックを付けた金属板で構成されています）

上記以外の板

0022 The sensor is comprised of an acrylic **board** [**plate**], a rubber sheet, a light source, and a CCD camera.
（そのセンサーは、アクリル板、ゴムシート、光源、およびCCDカメラで構成されています）

N-006

位置

location, position

location は、動かないものと動かせるもの、どちらの「位置」を表すのにも用いられます。それに対して position は、「動かせるものの位置」を表す場合のみに用いられます。「動かせるものの位置」を表す場合は、location よりも position のほうがより一般的に用いられます。

動かないものの位置	location
動かせるものの位置	position, location

動かないものの位置

0023 Google Maps is widely used to see the **location** of a target place.
（目的地の**位置**を確認するのにグーグルマップが広く使われています）

0024 The system detects the **locations** of products on shelves to avoid bad positioning.
（そのシステムは、棚の上の商品の**位置**を検出し、不適切な配置を防ぎます）

動かせるものの位置

0025 GPS is a technology that allows the user to detect the **position** [**location**] of any object in real time.
（GPS は、あらゆる物体の**位置**をリアルタイムで検出することを可能にするテクノロジーです）

0026 The system detects the **position** [**location**] of a train on the guideway by the use of ultrasonic sensors.
（そのシステムは、超音波センサーによって軌道上の列車の**位置**を検出します）

N-007

移動

movement, shift

「ある地点から別の地点への移動」を表す場合、movementとshiftは区別なく用いることができます。一方、「物が動くこと」自体を表す場合は、movementが一般的に用いられます。

地点間の移動	movement, shift
物が動くこと	movement

地点間の移動

0027 The **movement** [**shift**] of the arm is started when the button is pressed.
(ボタンが押されるとアームの**移動**が始まります)

0028 Turn off the power to the apparatus after the **movement** [**shift**] of the table is completed.
(テーブルの**移動**が完了してから装置の電源を切ってください)

物が動くこと

0029 The **movement** of the cursor on the screen corresponds to the **movement** of the mouse.
(画面上のカーソルの**移動**はマウスの**移動**に対応します)

0030 If the machine is not installed on a solid, level floor, an unexpected **movement** of the machine can result in a serious accident.
(機械は強固で水平な床に設置されないと、機械の予期せぬ**移動**により、深刻な事故が生じる恐れがあります)

N-008

内側

inner side, inside

「内側」を表す用語としては、inner sideとinsideを区別なく用いることができます。ただし、「外側」を意味する語句と共に用いる場合は、outer side（外側）とinner side、outside（外側）とinsideをそれぞれ対応させて用います。insideを使うと「内側」と「内部」のどちらにも解釈できる文脈においては、意味を明確にするためにinner sideを用いる必要があります。

0031 Wheel width is measured from the **inner side [inside]** of one wheel flange to another.
（車輪幅は、一方の車輪フランジの**内側**からもう一方の内側までを測定します）

0032 This type of glue does not stick to the **inner side [inside]** of the bottle because it needs air to harden.
（この種の接着剤は、硬化するのに空気を要するために、ボトルの**内側**には粘着しません）

0033 The door of the facility can be locked from the **inner side [inside]** without using a key.
（その設備のドアは、鍵を使わずに**内側**からロックできます）

0034 A strip of metal is attached to the **inner side** of the foot panel.
＊insideを用いると、「内部」とも解釈できる文脈です。
（細い金属片がフットパネルの**内側**に付けられます）

なお、「内側へ（向かって）」と言いたい場合には、副詞のinwardを用います。

0035 Light comes in from the left, hits the glass, and is bent **inward**.
（光は左側から入り、ガラスに当たり、**内側へ**曲折されます）

N-009

裏面

back, reverse, reverse side

ボード、パネル、板、用紙、写真などの「裏面」を指す場合には、back、reverse、reverse sideを区別なく用います。ただし、back sideで「裏面」を表現することはできません。人体の臀部(でんぶ)を意味するbacksideと誤解される可能性がありますので、注意してください。

0036 Parts are very close together on the **back** [**reverse** / **reverse side**] of the PC board.
(プリント基板の**裏面**でパーツが密集しています)

0037 Check the **back** [**reverse** / **reverse side**] of the panel for any corrosion of the connections.
(接続箇所の腐食がないか、パネルの**裏面**をチェックしてください)

0038 The **back** [**reverse** / **reverse side**] of the plate is completely insulated, so that the temperature of the plate is kept uniform.
(そのプレートの**裏面**は完全に絶縁されているので、プレートの温度は一定に保たれます)

0039 Refer to the Care and Cleaning Instructions on the **back** [**reverse** / **reverse side**] of the instruction sheet.
(指示シートの**裏面**に記載されているお手入れ、クリーニングの方法をご覧ください)

0040 The list of the reviewers is included on the **back** [**reverse** / **reverse side**] of the cover page.
(レビュアーのリストは表紙の**裏面**に掲載されています)

「裏面」の反意語としてボード、パネル、板、用紙、写真などの「表面(おもてめん)」を表すには、upper sideとupper surfaceを区別なく用います。

N-010

運転

driving, operation, running

「機械、機器、装置、車両などの稼働」を意味する「運転」には、operationとrunningのいずれも用いることができます。ただし、「操作」とも解釈できる文脈においては、operationではなくrunningを使ったほうがよいでしょう。「車両の操縦」の意味での「運転」にはdrivingを用います。

機械、機器、装置、車両などの稼働	operation, running
車両の操縦	driving

機械、機器、装置、車両などの稼働

0041 Automatic **operation** [**running**] of the industrial robot is enabled using multiple control devices.
（その産業用ロボットの自動**運転**は、複数のコントロール装置を用いて実現されます）

0042 The **running** of the machine is inhibited when other people are nearby. ＊operationを用いると、「操作」とも解釈できる文脈です。
（他の人が機械の近くにいるときには、機械の**運転**は禁止されています）

車両の操縦

0043 The computer-aided traffic control system effectively assists train operators in safe **driving**.
（その列車運行管理システムは、列車の運転士の安全**運転**を効果的にアシストします）

0044 A variety of technologies have been developed to realize self-**driving** vehicles.
（車の自動**運転**を実現するべく、さまざまな技術が開発されています）

N-011

影響

effect, influence

「影響」という言葉で表現できるものには、主に「何かによってもたらされる結果」と「何かに対して能動的に及ぼす作用」があります。前者にはeffectを、後者にはinfluenceを用います。

何かによってもたらされる結果	effect
何かに対して能動的に及ぼす作用	influence

何かによってもたらされる結果

0045 The **effect** of CO_2 and other greenhouse gases on global temperatures is well-known.
（二酸化炭素やその他の温室効果ガスの、地球の温度に対する**影響**はよく知られています）

0046 The environmental **effects** of illegal dumping are a source of concern for many municipalities.
（不法投棄の環境に対する**影響**は、多くの自治体にとって深刻な懸案事項です）

何かに対して能動的に及ぼす作用

0047 The **influence** of smartphones on people's life is not necessarily entirely positive.
（スマートフォンが人々の生活に及ぼす**影響**は、必ずしも良いものばかりではありません）

0048 The growing **influence** of robotization on the workforce has drawn attention from researchers.
（ロボット化の、雇用への高まる**影響**は、研究者の注目を集めています）

N-012

応答

acknowledgement, reply, response

「送信されたコマンド、データなどを受信したことを伝える」という意味合いの「応答」にはacknowledgementを用います。一方で、「問い合わせ、クレームなどに対する応答」にはreplyとresponseを区別なく用います。「その時点の状況、事象に対する反応」を意味する「応答」の場合はresponseが用いられます。

送信されたコマンド、データなどを受信したことを伝える応答	acknowledgement
問い合わせ、クレームなどに対する応答	reply, response
その時点の状況、事象に対する反応	response

送信されたコマンド、データなどを受信したことを伝える応答

0049 The secondary storage system returns an **acknowledgement** to the primary storage system after accepting a Write request.
（副ストレージシステムは、Writeの要求を受け付けると、主ストレージシステムに**応答**を返します）

問い合わせ、クレームなどに対する応答

0050 The company will send a **reply** [**response**] within eight days from the date of receipt of the complaint.
（クレームを受けてから8日以内に**応答**させていただきます）

その時点の状況、事象に対する反応

0051 If the device gives no **response** when the power switch is pressed, first check the power cable connection.
（電源スイッチを押しても装置が**応答**しない場合は、まず電源ケーブルの接続を確認してください）

N-013

汚染

contamination, pollution

contaminationは「環境に必ずしも影響しないような汚染」に用い、pollutionは「環境に影響するような汚染」に用いるのが原則です。ただし、実際には多くの文脈でこの2つの単語はあまり厳密に区別されずに用いられます。

環境に必ずしも影響しないような汚染	contamination
環境に影響するような汚染	pollution

環境に必ずしも影響しないような汚染

0052 Food processing equipment and containers can be sources of metal **contamination** of food.
（食品処理装置と容器は、食品の金属**汚染**の源となる可能性があります）

0053 The plasma processing device is capable of reducing the **contamination** of samples and thus improving the processing efficiency.
（そのプラズマ処理装置は、試料の**汚染**を低減して処理の効率を向上することができます）

環境に影響するような汚染

0054 Air **pollution** is a critical problem for many cities in emerging countries.
（大気**汚染**は、新興国の多くの都市にとって深刻な問題です）

0055 The **pollution** of groundwater due to industrial effluent is another major concern in many cities in India.
（産業排水による地下水の**汚染**も、インドの多くの都市における重大な懸案事項です）

N-014

外観

appearance, exterior

「生き物、生き物の形をした物（人形、ぬいぐるみ、ロボットなど）の外観」にはappearanceを用いますが、「生き物の形ではない物の外観」については、appearanceとexteriorを区別なく用いることができます。なお、appearanceは「出現」、「登場」といった意味でも用いられるので、そうした意味にも解釈できる文脈ではappearanceの前にexternalを付ける必要があります。

生き物、生き物の形をした物の外観	appearance
生き物の形ではない物の外観	appearance, exterior

生き物、生き物の形をした物の外観

0056 The pet robot's **appearance** can be customized through a simple operation.
（そのペットロボットの**外観**を簡単な操作でカスタマイズできます）

0057 The **external appearance** of the humanoid robot has drawn a lot of attention from potential customers.
＊ cxtcrnalを付けないと、「出現」や「登場」とも解釈できる文脈です。
（その人型ロボットの**外観**は、潜在的な購買者の大きな関心を引き寄せています）

生き物の形ではない物の外観

0058 The **appearance** [**exterior**] of a product is one of the key factors for attracting customers.
（製品の**外観**は、購買者を引き付ける重要な要素の1つです）

0059 The **appearance** [**exterior**] of an automobile largely differs depending on the manufacturers and models.
（自動車の**外観**は、メーカー及びモデルによって大きく異なります）

N-015

外径

external diameter, outer diameter, outside diameter

「外径」を表す用語としては、external diameter、outer diameter、outside diameterを区別なく用いることができます。

0060 The **external diameter [outer diameter / outside diameter]** of the cylinder is 25 centimeters and its length is 50 centimeters.
（そのシリンダーの**外径**は25センチ、長さは50センチです）

0061 The hose has an **external diameter [outer diameter / outside diameter]** of 12 millimeters and can be used for the injection of chemical resins.
（そのホースの**外径**は12ミリであり、化学樹脂の注入に使用できます）

0062 The **external diameter [outer diameter / outside diameter]** of metal pipes can be precisely measured using the calculation function.
（金属パイプの**外径**は、計算機能を用いることで正確に測定できます）

0063 The size of an optical fiber is commonly referred to by the **external diameters [outer diameters / outside diameters]** of its core and cladding.
（光ファイバーのサイズは、通常、コアと被覆の**外径**によって示されます）

0064 A coaxial line with an **external diameter [outer diameter / outside diameter]** of 6 millimeters has a characteristic impedance of 50 ohms.
（**外径**6ミリの同軸線は、50オームの特性インピーダンスを有しています）

「外径」の反意語である「内径」には、bore diameter、inner diameter、inside diameter、internal diameterを区別なく用いることができます。ただし、「外径」と「内径」の両方が登場する文では、external diameterとinternal diameter、outer diameterとinner diameter、outside diameterとinside diameterをそれぞれセットで用いる必要があるので注意しましょう。

N-016

開始

initiation, start

「開始」を表す名詞としては、initiationとstartを区別なく用いることができます。ただし、startは「初め」の意味でも多用されるので、そのような意味にも解釈できる文脈ではinitiationを用いる必要があります。

0065 If an unusual noise or odor is noticed after the **initiation [start]** of operations, immediately turn off the power to the apparatus.
（運転の**開始**後に異常な音または臭いが生じたら、装置の電源をすぐにオフにしてください）

0066 The machine will be ready for use about three minutes after the **initiation [start]** of warm-up operations.
（その機械は、暖機運転の**開始**約3分後に使用可能になります）

0067 The tumor disappeared completely about one year after the **initiation [start]** of radiation therapy.
（放射線治療の**開始**約1年後に腫瘍は完全に消えました）

0068 The tank will be filled up about 10 minutes after the **initiation [start]** of pumping operations.
（そのタンクは、ポンプ運転の**開始**約10分後に一杯に満たされます）

0069 Prior to the **initiation [start]** of wafer etching, the temperature of the etching liquid is adjusted to the same temperature as of a wafer.
（ウエハーのエッチングの**開始**に先立ち、エッチング液の温度は、ウエハーと同じ温度に調節されます）

0070 The **initiation** of the sequence is shown to the user with an indication on the screen.
＊startを用いると、「初め」の意味にも解釈できる文脈です。
（シーケンスの**開始**は、画面の表示によってユーザーに示されます）

N-017

外周

circumference, outer circumference, outer perimeter

「外周」を表す単語は、「円形または多角形の物の外周」なのか、「そうとは限らない物の外周」なのかによって使い分けるのが原則です。ただ、実際には多くの英語のネイティブスピーカーが、そうした使い分けを意識せずに用いています。

円形、多角形の物の外周	circumference, outer circumference
円形、多角形とは限らない物の外周	outer perimeter

円形、多角形の物の外周

0071 The **circumference [outer circumference]** of a circle is approximately three times bigger than its diameter.
(円の**外周**の長さは、直径の約3倍です)

0072 The resonance frequency of the antenna mainly depends on the **circumference [outer circumference]** of the rectangular loop.
(アンテナの共振周波数は、主に矩形ループの**外周**に依存します)

円形、多角形とは限らない物の外周

0073 The generator rotor consists of permanent magnets arranged on the **outer perimeter** of the turbine runner.
(その発電機ローターは、タービンランナーの**外周**に並べられた永久磁石で構成されます)

0074 The **outer perimeter** of the construction site measures about 1,500 meters.
(その建設現場の**外周**は約1,500メートルです)

N-018

回転

rotation, spin, turn

「軸の回転」や「軸を中心に回る回転」にはrotationを、「軸を中心に素早くクルクル回る回転」にはspinを、「大きくくるりと回る回転」にはturnを用いるのが基本です。実際は、多くの英語のネイティブスピーカーがrotationとturnを「軸の回転や軸を中心に回る回転」の意味で、spinとrotationを「軸を中心に素早くクルクル回る回転」の意味で区別なく用いています。

軸の回転、軸を中心に回る回転	rotation
軸を中心に素早くクルクル回る回転	spin
大きくくるりと回る回転	turn

軸の回転、軸を中心に回る回転

0075 The spindle shaft is interlocked with the **rotation** of the motor shaft.
（そのスピンドル軸は、モーター軸の**回転**に連動しています）

軸を中心に素早くクルクル回る回転

0076 The **spin** of an electron never changes, and it has only two possible orientations.
（電子の**回転**は決して変化しませんし、とれる向きも2つしかありません）

大きくくるりと回る回転

0077 The **turn** of the earth around the sun is the reason for the change of seasons.
（太陽の周囲を回る地球の**公転**によって、季節の変化が生じます）

N-019

回復

recovery, restoration

「ダウンしたシステムからの回復」のように、「正常ではない状態からの回復」を表すにはrecoveryが用いられるのに対し、現在の状態の良し悪しに関わらず「元の（前の）状態に戻す」という意味の「回復」にはrestorationが用いられます。

正常ではない状態からの回復	recovery
元の（前の）状態に戻す回復	restoration

正常ではない状態からの回復

0078 Monitor the **recovery** of the system until the suction gauge indicates the appropriate level of vacuum.
（吸引ゲージが適切な真空レベルを示すまで、そのシステムの**回復**をモニターしてください）

0079 **Recovery** from an error often requires a transition from the current state to another state.
（エラーからの**回復**には、しばしば、現在の状態から別の状態への移行が求められます）

元の（前の）状態に戻す回復

0080 The Factory Reset button enables the **restoration** of the default configuration of all the parameters.
（Factory Resetボタンによって、すべてのパラメータのデフォルト設定を**回復**できます）

0081 **Restoration** of the previous conditions returns the system to its original microheterogeneous state.
（前の条件の**回復**により、システムは元のミクロ不均一状態へ戻ります）

N-020

拡大

enlargement, magnification

「物自体の拡大」なのか、拡大鏡などを用いた「見かけ上の拡大」なのかによって、使用すべき単語は異なります。ただ、実際には多くの文脈でenlargementとmagnificationがあまり厳密に区別されずに用いられます。また、「画面上での拡大」にも、この2つの単語を同じように用いることができます。

物自体の拡大	enlargement
見かけ上の拡大	magnification
画面上での拡大	enlargement, magnification

物自体の拡大

0082 **Enlargement** of the tumor causes the surrounding organs to be compressed, inducing symptoms such as chest pains and breathing difficulties.
（その腫瘍の**拡大**は、周囲の臓器の圧迫を引き起こし、胸痛や呼吸困難などの症状を生じさせます）

見かけ上の拡大

0083 The **magnification** on a microscope must be carefully adjusted in proportion to distance.
（顕微鏡での**拡大**は、距離に応じて注意深く調整する必要があります）

画面上での拡大

0084 The **enlargement** [**magnification**] of an image can be distinguished into uniform and non-uniform image **enlargement** [**magnification**].
（画像の**拡大**は、定型**拡大**と非定型**拡大**とに区別できます）

N-021

拡張

expansion, extension

「一方向への拡張」なのか、「複数の方向への拡張」なのかによって、単語を使い分けるのが原則です。ただ、実際には多くの文脈において、この2つの単語はあまり厳密に区別されずに用いられます。また、「機能の拡張」のように「方向とは無関係な拡張」を表す場合にも、両方の単語が一般的に用いられます。

一方向への拡張	extension
複数の方向への拡張	expansion
方向とは無関係な拡張	expansion, extension

一方向への拡張

0085 The **extension** of the subway line will greatly benefit not only local residents but also local businesses.
（その地下鉄路線の**拡張**は、地域の住民だけでなく地域の企業に対しても大きな便宜をもたらすでしょう）

複数の方向への拡張

0086 Worldwide **expansion** of the market coincides with the worldwide **expansion** of the communications network.
（その市場のグローバルな**拡張**は、通信ネットワークのグローバルな**拡張**と重なっています）

方向とは無関係な拡張

0087 The service package provides an **expansion** [**extension**] of the functions available in the application.
（そのサービスパッケージにより、アプリケーションで利用できる機能の**拡張**が可能になります）

N-022

確認

check, confirmation, verification

「確認」を意味する単語は、「何を確認するのか」、「何のための確認なのか」によって使い分けます。「状態、状況などの確認」であればcheck、「本当に間違いないかの確認」であればconfirmation、「内容を検証する確認」であればverificationを用います。

状態、状況などの確認	check
本当に間違いないかの確認	confirmation
内容を検証する確認	verification

状態、状況などの確認

0088 All needed **checks** must be conducted before the machine starts to be operated in the morning.
（朝、機械の運転を始める前に、すべての必要な**確認**を行う必要があります）

本当に間違いないかの確認

0089 After the DEL button is clicked, a dialog box is displayed for your **confirmation**.
（DELボタンがクリックされた後に、**確認**のためにダイアログボックスが表示されます）

内容を検証する確認

0090 Thorough operational **verification** must be conducted after the programs on the ROM are rewritten.
（ROM上のプログラムを書き換えた後に、綿密な動作**確認**を行わなければいけません）

N-023

下部

bottom, lower part, lower portion

「下部」を表す場合には、lower partとlower portionを区別なく用いることができます。「底面」という意味に解釈される可能性のない文脈であれば、bottomを用いることもできます。

0091 The power switch is located on the **lower part** [**lower portion**] of the front panel.
（電源スイッチは、前面パネルの**下部**にあります）

0092 Hold the **lower part** [**lower portion**] of the unit with one hand, and tighten the thumbscrew with the other hand.
（そのユニットの**下部**を片方の手で持ち、もう一方の手で蝶ネジを締めてください）

0093 The sciatic nerve runs from the **lower part** [**lower portion**] of the spinal cord down the back and side of the leg to the foot.
（坐骨神経は、脊髄の**下部**から脚部の裏と横へと下り、足まで走っています）

0094 Be careful not to allow any object to block the vent on the **lower part** [**lower portion**] of the back of the machine.
（機械の背面の**下部**にある通気孔が何かで塞がれないよう気をつけてください）

0095 By default, the taskbar is located on the **bottom** [**lower part** / **lower portion**] of the screen, but it can be moved to either side.
＊ bottomを用いても、「底面」の意味に解釈されることのない文脈です。
（タスクバーはデフォルト設定により画面の**下部**に位置していますが、画面のどちら側にも移動できます）

「下部」の反意語である「上部」を表す用語としては、upper partとupper portionを区別なく用いることができます。「上面」という意味に解釈されることのない文脈であれば、topを用いることもできます。なお、「上部」と「下部」の両方が登場する文では、upper partとlower part、upper portionとlower portionをそれぞれ対にして用いる必要があります。

N-024

画面

display, screen, window

日本語で言うところの「スクリーン」の意味であれば、displayとscreenを区別なく用いることができます。ただし、例えば「画面に～が表示されます」のように動詞のdisplay(～を表示する)が用いられる文では、同じ単語の使用を避けるために「画面」にはscreenを用いるほうがよいでしょう。画面内に表示される「ウインドウ」を指すときはwindowを用います。

スクリーンを指す場合	display, screen
ウインドウを指す場合	window

スクリーンを指す場合

0096 The taskbar located on the bottom of the **display** [**screen**] can be moved to the top, the left side or the right side of the **display** [**screen**]. (**画面**の下に位置するタスクバーは、**画面**の上、左側、右側に移動することができます)

0097 If the Delete button is clicked, a confirmation dialogue box is **displayed** on the **screen**. ＊displayが動詞として用いられています。
(Deleteボタンがクリックされると、確認のダイアログボックスが**画面**に表示されます)

ウインドウを指す場合

0098 Before installing the utility, close all the **windows** of any currently running applications.
(そのユーティリティをインストールする前に、現在開いているアプリケーションのすべての**画面**を閉じてください)

0099 The **window** can be vertically scrolled by dragging the scrollbar on the right side. (右側にあるスクロールバーをドラッグすることで**画面**を上下にスクロールできます)

N-025

間隔

clearance, distance, interval

日本語の「間隔」にはさまざまな意味があり、英語ではその意味合いによって単語を使い分けます。

間隔自体の存在が機能上重要である場合	clearance
2地点間の隔たり	distance
3つ以上の物の間の一定の間隔	interval
時間的な間隔	interval

間隔自体の存在が機能上重要である場合

0100 If the **clearance** is too large, the clutch may slip.
（その隙間が大きすぎると、クラッチが滑る恐れがあります）

2地点間の隔たり

0101 The **distance** between the machine and the pump must not exceed 10 meters.
（その機械とポンプの**間隔**は10メートルを超えてはいけません）

3つ以上の物の間の一定の間隔

0102 A sensor station is positioned at **intervals** of 50 meters along the cable segment.
（センサー局は、ケーブル部分に沿って50メートル**間隔**で配置されます）

時間的な間隔

0103 A keep-alive packet is sent at **intervals** of 30 seconds.
（キープアライブパケットは30秒**間隔**で送信されます）

N-026

機器

apparatus, device, instrument

「機器」は一般的にはdeviceで表しますが、「メカニカルな動きをイメージさせる機器」にはapparatusを用います。何かを測定する機器はmeasuring instrumentですが、測定を目的としていることが明らかな文脈ではinstrumentだけで表します。

「機器」全般	device
メカニカルな動きをイメージさせる機器	apparatus, device
何かを測定する機器	(measuring) instrument

「機器」全般

0104 Electronic **devices** such as smartphones are recognized as having relatively short life cycles.
（スマートフォンのような電子**機器**は、製品寿命が比較的短いと認識されています）

メカニカルな動きをイメージさせる機器

0105 An MRI is a medical **apparatus** [**device**] with which medical professionals can observe a patient's soft tissues in minute detail.
（MRIは、医療の専門家が患者の軟組織を詳細に観察できる医用**機器**です）

何かを測定する機器

0106 The sensitivity of a **measuring instrument** is determined by the value of the smallest quantity readable with it.
（**測定機器**の精度は、機器で読める最少量の値で決まります）

N-027

器具

appliance, equipment, instrument

何らかの役割を果たす「器具」全般を表すには、equipmentが一般的に用いられます。「家庭用の電気器具」はapplianceですが、electrical equipmentも多用されます。「何かを測定する器具」は、measuring instrumentで表しますが、測定を目的としていることが明らかな文脈では、instrumentだけで表すこともできます。測定器具についてはmeasuring equipmentも多用されます。

「器具」全般	equipment
家庭用の電気器具	appliance
何かを測定する器具	(measuring) instrument

「器具」全般

0107 Health **equipment** must be used properly to eliminate the risk of accidents or damage to your health.
（健康**器具**は、事故や健康へのダメージのリスクをなくすために正しく使用しなければなりません）

家庭用の電気器具

0108 When young children are near any electrical **appliance**, they must be closely supervised at all times.
（幼児が電気**器具**の近くにいるときは、幼児を絶えず注意深く見守らなければなりません）

何かを測定する器具

0109 A voltmeter is a **measuring instrument** that is used for measuring the potential difference between two points in a circuit.
（電圧計は、回路の2点間の電位差を測定するのに用いられる**測定器具**です）

N-028

規則

regulation, rule

正式な手続きを経て定められた規則は、どんな内容であれ、対象者がそれを守ることが強く求められます。その「規則」を英語で表す場合、「守らなかった場合に法的に罰せられる規則」なのか、「守らなかった場合に注意、指導などを受けることはあっても法的には罰せられない規則」なのかによって、regulationとruleを使い分けるのが一般的です。

法的に罰せられる規則	regulation
法的には罰せられない規則	rule

法的に罰せられる規則

0110 A number of strict safety **regulations** have been imposed on the design and manufacturing of automobiles.
（自動車の設計と製造には、数多くの厳しい安全**規則**が定められています）

0111 The **regulations** regarding the disposal of industrial waste have been prescribed by the Waste Management Law.
（産業廃棄物の処理に関する**規則**は、産業廃棄物処理法で規定されています）

法的には罰せられない規則

0112 When any community website is used, certain **rules** are expected to be followed.
（コミュニティサイトを利用する際は、決められた**規則**に従うことが求められます）

0113 Many companies have set up **rules** regarding the use of PCs in workplaces.
（多くの会社が、職場でのパソコンの使用に関して**規則**を定めています）

N-029

起動

activation, boot, start, start-up

「起動」は、何を起動するのかによって単語を以下のように使い分けます。コンピュータを起動する場合にはbootとstart-upを区別なく用いますが、起動の間にコンピュータ上で行われる処理について述べる文ではbootを用います。

コンピュータの起動	boot, start-up
プログラム類(アプリケーション、ユーティリティなど)の起動	activation, start
機械、機器、装置などの起動	start-up

コンピュータの起動

0114 Many routines are executed on a computer during the **boot** process. ＊起動の間にコンピュータ上で行われる処理について触れています。
(コンピュータ上では、**起動**の過程で多くのルーティンが実行されます)

プログラム類の起動

0115 After the **activation** [**start**] of the software, a login screen will appear to log in with the username registered by the administrator.
(ソフトウエアの**起動**後に、管理者により登録されたユーザーネームでのログイン画面が表示されます)

機械、機器、装置などの起動

0116 Do not stay near the machine during the **start-up** of the machine because its moving arm can hit you.
(機械の**起動**中、動くアームに当たるかもしれないので、機械の近くにいてはいけません)

N-030

機能

feature, function

「ハードウエア（機械、機器、装置など）あるいはソフトウエアの個々の部分が果たす役割（個々の部分の働き）」を意味する「機能」を表す場合には、functionが用いられます。それに対してfeatureは、「特定のハードウエア、ソフトウエアに特有の機能、売りである機能」を表す場合に用いられます。

果たす役割（働き）を意味する機能	function
特有の機能、売りである機能	feature

果たす役割（働き）を意味する機能

0117 A smartphone has many **functions**, but most users likely do not know about all of them.
（スマートフォンには多くの機能がありますが、ほとんどのユーザーは、それらのすべてを知っているわけではないでしょう）

0118 When purchasing an electrical appliance, many people value its ease of operation rather than the number of **functions**.
（電化製品を購入する際に、多くの人々は機能の数よりも操作のしやすさを重視します）

特有の機能、売りである機能

0119 The latest version of this app is equipped with several new **features**.
（このアプリの最新バージョンには、いくつかの新しい機能が装備されています）

0120 Automated car driving has attracted much attention as a **feature** that can reduce the risk of traffic accidents.
（車の自動運転は、交通事故のリスクを減らすことができる機能として大変注目されています）

N-031

強度

intensity, strength

信号、光、音、電流、磁場といった「物理現象の強度」については、intensityとstrengthを区別なく用います。それに対し、床、板、コンクリート、鉄筋、部品（ネジ、ボルト等）などの「物質の強度」にはstrengthが用いられます。

物理現象の強度	intensity, strength
物質の強度	strength

物理現象の強度

0121 Magnetic resonance imaging shows that the signal **intensity** [**strength**] of normal bone marrow varies widely from patient to patient.
（MRI撮影における正常な骨髄の信号**強度**は患者によって大きく異なります）

0122 The **intensity** [**strength**] of a magnetic field is expressed in units of tesla (T) or microtesla (μT).
（磁場の**強度**はテスラ（T）またはマイクロテスラ（μT）の単位で表されます）

物質の強度

0123 The machine must be installed on a level floor with sufficient **strength**.
（その機械は、十分な**強度**のある平坦な床に設置する必要があります）

0124 The column **strength** of a screw depends on the relationship between the length and diameter of the screw.
（ネジのコラム**強度**は、ネジの長さと直径の関係に依存します）

N-032

計器

gauge, instrument, meter, scale

「計器」を表す単語は、測定するものによって以下のように使い分けます。なお、instrumentは、計測が目的であることが明らかでない文脈では、前にmeasuringを付ける必要があります。

長さ、厚さを測定する計器	gauge, instrument, meter, scale
重量、質量を測定する計器	gauge, instrument, scale
速度、または電圧、電流、温度などを測定する計器	gauge, instrument, meter

長さ、厚さを測定する計器

0125 The film thickness is measured by means of ellipsometry using a **gauge** [**measuring instrument** / **meter** / **scale**].
（そのフィルムの厚さは、**計器**により、偏光解析法で測定されます）

重量、質量を測定する計器

0126 Weight is measured with a **gauge** [**measuring instrument** / **scale**] having automated data capture and readout capabilities.
（重量は、データ自動取得／読み出し機能を持つ**計器**で測定されます）

速度、または電圧、電流、温度などを測定する計器

0127 The flow rate is measured by a **gauge** [**measuring instrument** / **meter**] mounted on the inlet pipe.
（その流速は吸気管に取り付けられた**計器**で測定されます）

0128 Radiation heat is measured with a **gauge** [**measuring instrument** / **meter**] called a globe thermometer.
（輻射熱は、グローブサーモメーターと称される**計器**で測定されます）

N-033

形式

form, format

「物事を行う際の一定のやり方、手順」という意味の「形式」にはformが用いられます。「文書などの決まった書き方、体裁」あるいは「データを保存するためのファイル形式」にはformatが用いられます。

物事を行う際の手順	form
文書の体裁、ファイルの形式	format

物事を行う際の手順

0129 A database allows the user to accumulate data in a specific **form** and manage the data in an integrated manner.
（データベースによって、決まった**形式**で情報を蓄積し、情報を一元的に管理することができます）

0130 The iOS Pie Chart is an effective tool for presenting information in the **form** of a pie chart.
（iOS Pie Chartは、円グラフの**形式**で情報を伝えるのに有効なツールです）

文書の体裁、ファイルの形式

0131 Check that the file has not been corrupted and that the file extension matches the **format** of the file.
（ファイルが破損していないことと、ファイルの拡張子がファイルの**形式**に合っていることを確認してください）

0132 The communications protocol defines the **format** and syntax of the data to be transmitted.
（その通信プロトコルは、送信されるデータの**形式**や構文を定義します）

N-034

傾斜

gradient, inclination, slant, tilt

「基準となる面や位置からの傾斜であることに強い意味のある傾斜」、「傾きの角度に強い意味のある傾斜」には、inclinationとtiltが一般的に用いられます。一方、「基準となる面や位置、角度に強い意味のない傾斜」を表す場合には、gradient、inclination、slant、tiltがあまり厳密に区別せずに用いられます。

基準面・位置、角度に強い意味のある傾斜	inclination, tilt
基準面・位置、角度に強い意味のない傾斜	gradient, inclination, slant, tilt

基準面・位置、角度に強い意味のある傾斜

0133 When mounting the arm, pay attention to the **inclination** [**tilt**] angle of the arm relative to the surface of the machine.
（アームを取り付ける際に、マシンの表面に対するアームの**傾斜**角度に注意してください）

0134 The **inclination** [**tilt**] of the straight line on the graph increases in proportion to thc timc interval.
（グラフ上の直線の**傾斜**は、時間間隔に比例して増加しています）

基準面・位置、角度に強い意味のない傾斜

0135 When carrying in the machine, pay special attention to the **gradient** [**inclination** / **slant** / **tilt**] of the passage.
（マシンを搬入する際は、通路の**傾斜**に十分な注意を払ってください）

0136 A precision level allows the user to identify the level and **gradient** [**inclination** / **slant** / **tilt**] of an object through the movements of air bubbles.
（精密水準器は、気泡の移動を通して物体の水平や**傾斜**を特定します）

N-035

経路

path, route

「ある地点から別の地点への道筋」としての「経路」を表すには、pathとrouteがあまり厳密に区別せずに用いられます。「信号の経路」にはpath、「マップにおける経路」にはrouteが一般的に用いられます。

ある地点から別の地点への道筋	path, route
信号の経路	path
マップにおける経路	route

ある地点から別の地点への道筋

0137 The technology allows **path** [**route**] information to be correctly transmitted utilizing the minimum amount of data.
(その技術により、**経路**情報を、少ないデータ量で正確に伝えることができます)

信号の経路

0138 Electromagnetic waves are emitted from a loop composed of a signal **path** and a return **path**.
(信号**経路**とリターン**経路**とで構成されるループから電磁波が放射されます)

マップにおける経路

0139 The performance of car navigation systems, which search for recommended **routes**, has been significantly improved over the last decade.
(推奨**経路**を探索するカーナビの性能は、過去10年間で大きく向上しています)

N-036

欠陥

bug, defect, failure, fault, malfunction

「欠陥」は、それが何の欠陥であるのか、どのような欠陥であるのかによって、以下のように単語を使い分けます。

機械、機器、装置などの物理的な欠陥	defect, failure, fault, malfunction
機械、機器、装置などの動作の欠陥（動作不良）	defect, failure, malfunction
プログラムの欠陥（バグ）	bug

機械、機器、装置などの物理的な欠陥

0140 If the apparatus is kept running after a mechanical **defect** [**failure** / **fault** / **malfunction**] is found, a serious accident can occur.
（機械的な**欠陥**が見つかったのちに装置の稼働を続けると、深刻な事故が生じる恐れがあります）

機械、機器、装置などの動作の欠陥（動作不良）

0141 Exposing the device to direct sunlight can result in an operational **defect** [**failure** / **malfunction**].
（装置を直射日光にさらすと、装置の動作に**欠陥**を生じる恐れがあります）

プログラムの欠陥（バグ）

0142 The application seems to have many **bugs** that need to be corrected.
（そのアプリには、修正を要する多くの**欠陥**（バグ）があるようです）

N-037

限界

limit, limitation

「限界」を表す名詞にはlimitとlimitationがあります。多くの英語のネイティブスピーカーがこの2つをあまり厳密に区別せずに使用していますが、原則として「どこまで許されるのか」を意味する「限界」はlimit、「能力や性能の限界」はlimitationと使い分けます。

許容の限界	limit
能力や性能の限界	limitation

許容の限界

0143 The charge current **limit** is set so as to be smaller than the discharge current **limit**.
（充電電流の**限界**は、放電電流の**限界**よりも小さくなるように設定してあります）

0144 The comparator outputs a stop signal when a position error is equal to or larger than the position error **limit**.
（そのコンパレータは、位置誤差が位置誤差**限界**に等しいか、それよりも大きいときに、停止信号を出力します）

能力や性能の限界

0145 A new soft X-ray spectrometer breaks through the energy resolution **limitation** of the conventional products.
（新型の軟X線分光計は、従来の製品のエネルギー分解能の**限界**を打破します）

0146 The high pressure pump is capable of improving the self-close **limitation** of an intake valve.
（その高圧ポンプは、吸入弁の自閉**限界**を高めることを可能にします）

N-038

権限

authority, privilege

コンピュータ、システムなどの「利用できる機能やリソースの範囲」という意味の「権限」を表す名詞としては、authorityとprivilegeがあまり厳密に区別せずに用いられます。

0147 Data processing is performed based on the **authority [privilege]** properly granted to a user.
（データ処理は、ユーザーに適切に付与された**権限**に基づいて実行されます）

0148 A person having a specific **authority [privilege]** is allowed to execute manager operations from any POS terminal.
（特定の**権限**を有する者は、どのPOS端末からもマネージャ業務を実行することができます）

0149 The **authority [privilege]** of a new user is set so as to be equal to or below the **authority [privilege]** of the users already registered.
（新規ユーザーの**権限**は、既に登録されているユーザーの**権限**以下になるように設定されます）

0150 The extracted utilization **authority [privilege]** is set as the utilization **authority [privilege]** assigned to the user ID.
（抽出された利用**権限**は、ユーザーIDに割り付けられた利用**権限**として設定されます）

0151 The device management **authority [privilege]** is updated on the basis of the **authority [privilege]** management device.
（そのデバイス管理**権限**は、**権限**管理装置に基づいて更新されます）

0152 An access **authority [privilege]** can be safely transferred by adopting an open API.
（オープンAPIを導入することで、アクセス**権限**を安全に委譲することができます）

N-039

検査

examination, inspection

「検査」を表す単語は、検査の対象や目的によって、以下のように使い分けます。

患者に対して行う検査	examination
標本、検体に対して行う検査	examination
製品、部品などの品質を調べる検査	examination, inspection
機械、機器、装置などの状態を調べる検査	inspection

患者に対して行う検査

0153 When an **examination** is completed, the patient name shown on the display is automatically deleted.
（検査の終了時に、ディスプレイ上の患者名は自動的に削除されます）

標本、検体に対して行う検査

0154 Plasma reaction is also used for the **examination** of specimens.
（プラズマ反応は、検体の**検査**にも用いられています）

製品、部品などの品質を調べる検査

0155 Products are delivered after being subjected to a rigorous **examination** [**inspection**].
（製品は、厳しい**検査**を経たのちに出荷されます）

機械、機器、装置などの状態を調べる検査

0156 The system allows the **inspection** of electronic devices at low cost and high efficiency.
（そのシステムは、低コストかつ高効率での電子機器の**検査**を可能にします）

N-040

減少

decline, decrease, reduction

「減少」を表す単語は、減少するものによって以下のように使い分けます。

一般的なサイズの減少	decrease, reduction
ファイル、データなどのサイズの減少	reduction
数、量、速度などの減少	decrease, reduction decline（「数の減少」の場合のみ）

一般的なサイズの減少

0157 The data compensation circuit allows the **decrease** [**reduction**] of memory size and the improvement of productivity.
（そのデータ補償回路は、メモリサイズの**減少**及び生産性の向上を可能にします）

ファイル、データなどのサイズの減少

0158 **Reduction** of the code size is required in the development of the voice codec.
（音声コーデックの開発において、コードサイズの**減少**が求められます）

数、量、速度などの減少

0159 On an imaging device, the **decrease** [**reduction**] of its saturation charging amount needs to be suppressed.
（撮像装置において、飽和電荷量の**減少**は抑えられる必要があります）

0160 The **decline** [**decrease** / **reduction**] of parameters results in the **decline** [**decrease** / **reduction**] of iterations of calculations on the parameters. ＊「数の減少」を表すので、declineを用いることもできます。
（パラメータの**減少**の結果、そのパラメータに関する計算の反復数も**減少**します）

N-041

向上

improvement, progress

「現在の状態よりも良くなる」という意味の「向上」にはimprovementを用い、「目標に近づく」という意味の「向上」にはprogressを用いるのが原則です。ただし、実際には多くの文脈においてこの2つの単語はあまり厳密に区別せずに用いられます。

現在の状態よりも良くなること	improvement
目標に近づくこと	progress

現在の状態よりも良くなること

0161 The new electron beam exposure system is designed for **improvement** in both the throughput and exposure accuracy.
（その新しい電子ビーム露光装置は、スループット及び露光精度の**向上**を目的に設計されます）

0162 The **improvement** in work efficiency has resulted in reduced machining times and increased production yields.
（作業効率の**向上**は、加工時間の短縮及び製造歩留まりの増加につながります）

目標に近づくこと

0163 The introduction of the new system has not yet led to the expected **progress** in productivity.
（その新しいシステムの導入は、予定されたような生産性の**向上**を、まだもたらしていません）

0164 Significant **progress** has been made in the production yield in the second quarter of the year.
（第2四半期で、製造歩留まりの大きな**向上**が見られています）

N-042

構成

composition, configuration

「文書、ウェブサイトなどの構成」を表す場合はcompositionを用い、「システム、機械、機器、装置などの構成」を表す場合はconfigurationを用います。「ネットワーク、ソフトウエア、プログラムなどの構成」の場合は、この2つの単語を区別せずに用いることができます。

文書、ウェブサイトなどの構成	composition
システム、機械、機器、装置などの構成	configuration
ネットワーク、ソフトウエア、プログラムなどの構成	composition, configuration

文書、ウェブサイトなどの構成

0165 The **composition** of a user manual must allow users to easily locate their needed information.
（ユーザーマニュアルの**構成**は、必要とする情報をユーザーが簡単に探せるものでなければなりません）

システム、機械、機器、装置などの構成

0166 The optical communication system is capable of extending a transmission band with a simple system **configuration**.
（その光通信システムは、簡単なシステム**構成**で伝送帯域を拡大できます）

ネットワーク、ソフトウエア、プログラムなどの構成

0167 The network analysis section generates a server vector based on the **composition** [**configuration**] of a network.
（ネットワーク解析部は、ネットワークの**構成**を基にサーバベクトルを生成します）

N-043

構造

architecture, structure

「ハードウエアとしてのコンピュータの構造」にはarchitectureが一般的に用いられますが、「ソフトウエアの構造」の場合はarchitectureとstructureのどちらも多用されます。また、「コンピュータ以外の機械、機器、装置などの構造」、「建物などの構造」を表す場合は、structureが一般的に用いられます。

コンピュータ(ハードウエア)の構造	architecture
ソフトウエアの構造	architecture, structure
機械、機器、装置、建物などの構造	structure

コンピュータ(ハードウエア)の構造

0168 The **architecture** of the computer avoids deadlock in network communications.
(そのコンピュータの**構造**は、ネットワーク通信におけるデッドロックを回避します)

ソフトウエアの構造

0169 The **architecture** [**structure**] of the software allows the user to conduct function design without being conscious of the hardware.
(そのソフトウエアの**構造**は、ハードウエアを意識することなく機能設計を行うことを可能にします)

機械、機器、装置、建物などの構造

0170 The semiconductor device has a damascene wiring **structure**.
(その半導体装置は、ダマシン配線**構造**を有しています)

N-044

後部

back, rear

「後部」を意味する単語にはbackとrearがあります。backには「前面から遠い位置」というニュアンスが含まれるとされますが、実際にはこの2つの単語はあまり厳密に区別せずに用いられます。

0171 The system allows a driver to easily monitor the **back** [**rear**] of an automobile through an imaging device.
（そのシステムは、運転手が撮像装置を通して自動車の**後部**を容易にモニターすることを可能にします）

0172 The electric motor is installed in a subframe provided in the **back** [**rear**] of the vehicle.
（その電動機は、車両**後部**に設けられたサブフレームに据え付けられます）

0173 Before pressing the POWER switch on the panel, check that the main power on the **back** [**rear**] of the machine has been switched on.
（パネルのPOWERスイッチを押す前に、マシンの**後部**にある主電源が投入されていることを確認してください）

0174 To prevent the exhaust port of the apparatus from being blocked, be careful not to place any object at the **back** [**rear**] of the apparatus.
（装置の排気口を塞がないために、装置の**後部**にいかなる物も置かないよう注意してください）

0175 The lens can be unlocked by pressing the small black button on the left side of the lens (as viewed from the **back** [**rear**]).
（そのレンズのロックの解除は、レンズの（**後部**から見た）左側にある、小さな黒いボタンを押すことで行えます）

N-045

誤差

error, tolerance

「誤差」を表す名詞には、errorとtoleranceがあります。errorは「測定値と真の値との差」の意味で用いられるのに対し、toleranceは「許容範囲」、すなわち専門用語でいう「許容誤差」を表すのに用いられます。

測定値と真の値との差	error
許容範囲	tolerance

測定値と真の値との差

0176 The **error** comparison circuit compares an **error** calculated by the **error** calculation circuit with the threshold.
（**誤差**比較回路は、**誤差**算出回路で算出した**誤差**と閾値とを比較します）

0177 The position information may include an **error** and may not show the accurate positions of vehicles.
（位置情報は**誤差**を含んでいる場合があり、正確な車両の位置を示さないこともありえます）

許容範囲

0178 The network error detection device checks whether the difference between a predicted value and an actual measured value falls within the **tolerance** range.
（そのネットワーク異常検出装置は、予測値と実測値との差が**許容誤差**の範囲であるかをチェックします）

0179 The feed control method allows the motion accuracy to meet the **tolerance** level.
（その送り制御方法により、運動精度は**許容誤差**の範囲に収まります）

N-046

再開

restart, resumption

「システム、アプリケーションなどの再開」を表す場合には、restartが一般的に用いられます。しかし、restartには「再起動」という意味もあるので、誤解が生じる可能性のある文脈ではresumptionを用いる必要があります。「動作、処理、操作などの再開」にもrestartを用いることができますが、resumptionのほうがより一般的に用いられます。

システム、アプリケーションなどの再開	restart
動作、処理、操作などの再開	resumption

システム、アプリケーションなどの再開

0180 The **restart** processing method shortens the time needed until the **restart** of the system is completed.
（その**再開**処理方法により、システムの**再開**の完了までに要する時間を短縮することができます）

0181 The SDK automatically detects the **restart** of an application and newly starts a session.
（SDKは、アプリの**再開**を自動的に検出し、新たにセッションを開始します）

動作、処理、操作などの再開

0182 The power control circuit can quickly respond to the stop and **resumption** of the operation of the power unit.
（その電源制御回路は、電源装置の動作の停止と**再開**に迅速に応答できます）

0183 The redundant system enables the immediate **resumption** of interrupted processing.
（その冗長化システムは、中断された処理の迅速な**再開**を可能にします）

N-047

再起動

reboot, restart

「再起動」を表す名詞には、rebootとrestartがあります。「コンピュータ、機械、機器、装置などの再起動」の場合にはどちらも用いることができますが、再起動の過程で行われる処理について触れるような文脈ではrebootを用います。また、「アプリケーション、プログラムなどの再起動」にはrestartを用います。

コンピュータ、機械、機器、装置などの再起動	reboot, restart
アプリケーション、プログラムなどの再起動	restart

コンピュータ、機械、機器、装置などの再起動

0184 When a device driver is installed on a computer, a judgment is made about whether or not a **reboot** [**restart**] of the computer is needed.
（デバイスドライバがコンピュータにインストールされると、コンピュータの**再起動**が必要かどうかの判定が行われます）

0185 The on-vehicle device prevents an unnecessary **reboot** [**restart**] by setting an appropriate short-interruption reference time.
（その車載装置は、適切な瞬断基準時間を設定することにより、不必要な**再起動**を防止できます）

アプリケーション、プログラムなどの再起動

0186 If an error occurs during program processing when the power is turned on, a **restart** of the program is executed automatically.
（電源投入時のプログラム処理中にエラーが生じると、プログラムの**再起動**が自動的に実行されます）

N-048

再発

reappearance, recurrence

「問題、不具合、エラーなどの再発」を表す場合はrecurrenceを用います。「病気の再発」にはreappearanceとrecurrenceのどちらも用いることができますが、recurrenceのほうがより一般的に用いられます。

問題、不具合、エラーなどの再発	recurrence
病気の再発	recurrence, reappearance

問題、不具合、エラーなどの再発

0187 Appropriate measures must be taken to prevent the **recurrence** of system failure.
（システムの不具合の**再発**を防ぐために、適切な対策を講じる必要があります）

0188 Frequent **recurrence** of errors indicates that the product has come to the end of its life.
（エラーの頻繁な**再発**は、製品の寿命が来ていることを示しています）

病気の再発

0189 Continued monitoring is necessary to check for **recurrence** [**reappearance**] of the disease after the surgery.
（手術後の病気の**再発**をチェックするために、継続的な観察が求められます）

0190 Changing the current lifestyle is essential to prevent **recurrence** [**reappearance**] of heart disease.
（心臓疾患の**再発**を予防するには、現在の生活習慣の改善が不可欠です）

N-049

軸

axis, shaft

「座標の軸」、あるいは「周囲を回る動きの中心」を表す場合には、axis（複数形はaxes）が用いられます。一方で、モーターのシャフトのような「回転体の中心に位置して回る軸」を表す場合には、shaftが用いられます。

座標の軸	axis
周囲を回る動きの中心	axis
回転体の中心に位置して回る軸	shaft

座標の軸

0191 The image output unit displays three-dimensional coordinate **axes** composed of three **axes** on the screen.
（画像出力部は、3つの軸からなる3次元座標**軸**を画面に表示します）

周囲を回る動きの中心

0192 The three-dimensional coordinate measuring method enables the rotation **axis** of slit light to be set to an arbitrary position.
（その3次元座標計測方法により、スリット光の回転**軸**を任意の位置に設定することができます）

回転体の中心に位置して回る軸

0193 The rotating **shaft**-holding unit includes a rotating **shaft** directly connected with the rotating **shaft** of the motor.
（回転**軸**保持部は、モーターの回転**軸**と直結された回転**軸**を内蔵しています）

N-050

実現

attainment, realization

「実現」を表す名詞には、attainmentとrealizationがあります。attainmentは「計画、目標、課題などの実現」を意味する場合に用いられ、realizationはそれに加えて「機能、性能、仕様などの実現」を意味する場合にも用いられます。

計画、目標、課題などの実現	attainment, realization
機能、性能、仕様などの実現	realization

計画、目標、課題などの実現

0194 The **attainment** [**realization**] of the development plan still requires several problems to be solved.
(開発計画の**実現**には、まだ、いくつかの問題の解決を要します)

0195 A new system will be adopted for the **attainment** [**realization**] of the production target.
(その生産目標の**実現**のために、新しいシステムが導入されることになります)

機能、性能、仕様などの実現

0196 The display control device enables the **realization** of a functional display device that classifies the display according to the purpose of usage.
(その表示制御装置は、用途に応じて表示を分類する、機能的な表示装置の**実現**を可能にします)

0197 The visual system enables the **realization** of high resolution and high-speed processing.
(その視覚装置は、高い分解能および処理の高速化を**実現**可能にします)

N-051

実行

execution, implementation

「実行」を表す名詞としては、多くの文脈でexecutionが一般的に用いられます。「計画、スケジュールなどの実行」にはimplementationも多用されます。

機能、操作、手順などの実行	execution
ジョブ、プログラム、シーケンスなどの実行	execution
計画、スケジュールなどの実行	execution, implementation

機能、操作、手順などの実行

0198 The management system for mobile terminals restricts the **execution** of individual functions depending on management areas.
（携帯端末の管理システムは、管理エリアに応じて各機能の**実行**を制限します）

ジョブ、プログラム、シーケンスなどの実行

0199 The memory access analysis device analyzes the memory access generated during the **execution** of a program.
（そのメモリアクセス解析装置は、プログラムの**実行**中に発生したメモリアクセスを解析します）

計画、スケジュールなどの実行

0200 The simulation device allows a re-examination of a work plan's **execution** [**implementation**] without largely modifying the work schedule.
（そのシミュレーション装置により、作業スケジュールを大幅に変更することなく、作業計画の**実行**を見直すことができます）

N-052

周囲

circumference, environment, perimeter

円形、楕円形のような、「丸みのある形状の物の周囲」を表す場合にはcircumferenceを用い、「丸みのない形状の物の周囲」を表す場合にはperimeterを用いるのが基本とされています。ただし、実際には多くの英語のネイティブスピーカーが、この2つの単語をあまり厳密に区別せずに用いています。また、「周りの環境」という意味での「周囲」にはenvironmentが一般的に用いられます。

丸みのある形状の物の周囲	circumference
丸みのない形状の物の周囲	perimeter
周りの環境	environment

丸みのある形状の物の周囲

0201 The chassis includes a reception groove to enclose the **circumference** of the circular opening.
（そのシャーシは、円形開口部の**周囲**を取り囲む受入れ溝を有しています）

丸みのない形状の物の周囲

0202 The vehicle **perimeter** display device automatically displays images of a vehicle's **perimeter** on the monitor.
（その車輌**周囲**表示装置は、車輌**周囲**の画像をモニターに自動的に表示します）

周りの環境

0203 The rotation speed of the motor is kept steady even if the temperature in its **environment** changes rapidly.
（**環境**の温度が急激に変化しても、そのモーターの回転速度は一定に保たれます）

N-053

収集

acquisition, collection

「収集」を表す主な名詞にはacquisitionとcollectionがあります。collectionは「収集」全般を広く表すことができますが、「データ、情報の収集」の場合にはacquisitionも用いることができます。

データ、情報の収集	acquisition, collection
ログ、資料、文書などの収集	collection
廃棄物、リサイクル品などの収集	collection

データ、情報の収集

0204 The management system shortens the time required for data **acquisition** [**collection**] and restrains its communication traffic.
（その管理システムは、データ**収集**に要する時間を短縮し、その通信量を抑制します）

0205 The traffic information **acquisition** [**collection**] system allows the efficient **acquisition** [**collection**] of traffic information.
（その交通情報**収集**システムは、交通情報の効率的な**収集**を可能にします）

ログ、資料、文書などの収集

0206 The log **collection** system can smoothly perform log **collection**.
（そのログ**収集**システムは、ログの**収集**を円滑に行うことができます）

廃棄物、リサイクル品などの収集

0207 The waste **collection** unit includes upper and lower waste containers for receiving waste materials.
（その廃棄物**収集**ユニットは、廃棄物を収容するための、上側廃棄物容器と下側廃棄物容器を内蔵しています）

N-054

修正

correction, revision

「バグ、エラー、誤りなどの修正」を表す名詞としてはcorrectionが、「プログラム、文書、内容などの修正」にはrevisionが一般的に用いられます。「データ、情報、画像などの修正」の場合には、correctionとrevisionを区別なく用いることができます。

バグ、エラー、誤りなどの修正	correction
プログラム、文書、内容などの修正	revision
データ、情報、画像などの修正	correction, revision

バグ、エラー、誤りなどの修正

0208 Bug **correction** must be made so that the public API is not significantly altered.
（バグ**修正**は、パブリックなAPIを大幅に変更しないように行われなければなりません）

プログラム、文書、内容などの修正

0209 The program processing device is capable of preventing an increase in the program **revision** time.
（そのプログラム処理装置により、プログラム**修正**時間の増加を防ぐことができます）

データ、情報、画像などの修正

0210 The image **correction** [**revision**] program helps to produce the desired colors for each of the patterns on an image to be printed.
（その画像**修正**プログラムにより、印刷される画像のそれぞれの絵柄を思い通りの色にすることができます）

N-055

終了

completion, end, termination

何の「終了」なのかによって以下のように単語を使い分けます。endは、「～の最後」という意味に解釈される可能性のない文脈においてのみ用いるようにします。

操作、動作、手順、手続き、開発などの終了	completion
プログラム、アプリケーションなどの終了	termination
通話、会話、コミュニケーションなどの終了	completion, end, termination
サービス、サポート、契約などの終了	end, termination

操作、動作、手順、手続き、開発などの終了

0211 Turn off the power to the machine after the **completion** of all operations. (機械の電源は、すべての動作の**終了**を待って落としてください)

プログラム、アプリケーションなどの終了

0212 The installer prompts the **termination** of all running programs.
(インストーラは、動作中のすべてのプログラムの**終了**を要求します)

通話、会話、コミュニケーションなどの終了

0213 The app informs the user of the **completion** [**end** / **termination**] of a call when s/he forgets to disconnect the line.
(アプリは、ユーザーが回線の切断を忘れた際に、通話の**終了**を知らせてくれます)

サービス、サポート、契約などの終了

0214 The vendor announced the **end** [**termination**] of support for its application.
(ベンダーは、アプリのサポートの**終了**を発表しました)

N-056

縮小

downsizing, reduction

「会社、工場、事業などの規模の縮小」を表す場合には、downsizingを用います。それに対して、「画像、写真、データなどのサイズの縮小」を表す場合にはreductionを用います。

会社、工場、事業などの規模の縮小	downsizing
画像、写真、データなどのサイズの縮小	reduction

会社、工場、事業などの規模の縮小

0215 For many companies having production sites overseas, further **downsizing** of their domestic production sites is always one of their important agenda items.
（海外に生産拠点を有する多くの企業にとって、国内生産拠点のさらなる**縮小**は、常に重要な検討項目の1つです）

0216 The expected population decline can accelerate the **downsizing** of the domestic automobile industry.
（予期される人口減少によって、国内の自動車産業の**縮小**が加速される可能性があります）

画像、写真、データなどのサイズの縮小

0217 The application is used for batch **reduction** of multiple images.
（そのアプリは、複数の画像を一括**縮小**するのに用いられます）

0218 After selecting a picture to attach to an email, a message with image **reduction** options pops up.
（メールに添付する写真を選ぶと、写真の**サイズ縮小**を選択するメッセージが現れます）

N-057

受信

receipt, reception

「データ、信号、電波、メール、ファイルなどの受信」にはreceiptとreceptionを区別なく用いることができます。ただし、transmission（送信）とともに用いる場合はreceptionを使います。「受信アンテナ」、「受信センサー」など、すぐ後ろに機械、機器、装置などが続く複合語にする場合には、現在分詞receivingを用いてreceiving antenna、receiving sensorのように表現します。また、「受信された～」という意味の「受信データ」、「受信信号」といった複合語は、過去分詞receivedを用いてreceived data、received signalのように表現します。

0219 An email filter rejects the **receipt** [**reception**] of unwanted emails or sorts those emails into spam and junk folders.
（メールフィルタは、迷惑メールの**受信**を拒否したり、それらのメールを迷惑メールのフォルダに振り分けたりします）

0220 The **receipt** [**reception**] state monitoring unit monitors the state of **receipt** [**reception**] of radio waves from the individual GPS satellites.
（**受信**状態監視部は、各GPS衛星からの電波の**受信**状態を監視します）

0221 The information management section manages the notification destination information used to give a notification of file **receipt** [**reception**].
（情報管理部は、ファイル**受信**の通知に使用される通知先情報を管理します）

0222 Upon detecting the **receipt** [**reception**] of signals, the detection circuit sends a **receipt** [**reception**] detection signal to the control circuit.
（信号の**受信**を検出すると、検出回路は**受信**検出信号を制御回路に送ります）

0223 The data transfer control section controls the **transmission** and **reception** of data. ＊transmissionとともに用いられています。
（データ転送制御部は、データの送**受信**の制御を行います）

N-058

出荷

delivery, shipment, shipping

「工場、倉庫などからの出荷」を表す名詞としては、delivery、shipment、shippingを区別なく用いることができます。ただし、後ろにdateを付ける場合、shipment dateとshipping dateは「工場、倉庫などからの出荷日」を表すのに対し、delivery dateは「届け先に届く日」を表すことに注意してください。

0224 The **delivery** [**shipment** / **shipping**] management system prevents the erroneous **delivery** [**shipment** / **shipping**] of products whose **delivery** [**shipment** / **shipping**] has been disapproved.
（その**出荷**管理システムは、**出荷**承認不可の製品の誤**出荷**を防止します）

0225 The terminal at the **delivery** [**shipment** / **shipping**] site transmits **delivery** [**shipment** / **shipping**] data along with inventory data to the inventory management server at the time of **delivery** [**shipment** / **shipping**].
（**出荷**拠点の端末は、**出荷**時に**出荷**データを在庫データと共に在庫管理サーバへ送信します）

0226 The **delivery** [**shipment** / **shipping**] instruction issue device obtains **delivery** [**shipment** / **shipping**] information from the outside and stores it on the database.
（その**出荷**指示発行装置は、外部から**出荷**情報を取得してデータベースに保存します）

0227 The control terminal transmits **delivery** [**shipment** / **shipping**] instruction data and vehicle allocation data to the **delivery** [**shipment** / **shipping**] control device.
（その管理端末は、**出荷**指示データと配車データを**出荷**制御装置に送信します）

N-059

消去

deletion, erasure

「特定のファイル、データ、画像、文字、レコードなどを個別に消去すること」を表す場合にはdeletionを用います。一方で、「メモリ、ディスク、トラックなどの記憶装置上のすべての情報をまとめて消去すること」を表す場合にはerasureが用いられます。erasureを用いて「～の消去」を表す場合、「～」には、メモリ、ディスク、トラックなどの記憶装置を表す用語が入ることに注意してください。

特定の情報を個別に消去すること	deletion
記憶装置上のすべての情報をまとめて消去すること	erasure

特定の情報を個別に消去すること

0228 If new image data is entered when a data **deletion** task is in execution, the task is interrupted.
（データ**消去**タスクの実行中に新たな画像データが入力されると、タスクは中断されます）

0229 After the output of image data stored in memory is completed, file **deletion** is executed when the user enters target file Nos.
（メモリに蓄積された画像データの出力が終わった後、ユーザーがターゲットとするファイル番号を入力すると、ファイルの**消去**が実行されます）

記憶装置上のすべての情報をまとめて消去すること

0230 The lifetime of flash memory can be extended by reducing the **erasure** frequency of each memory cell.
（フラッシュメモリの寿命は、各メモリセルの**消去**回数を減らすことによって伸ばすことができます）

0231 The hard disk device has a function that prevents accidental **erasure**.（そのハードディスク装置には、誤**消去**を防止する機能があります）

N-060

条件

condition, parameter

「条件」を表すのに用いられる名詞には、主にconditionとparameterがあります。「期待する状況、状態を生じさせる条件」にはconditionを用い、「期待する状況、状態を生じさせるために設定する値」という意味の「条件」を表す場合はparameterを用います。

期待する状況、状態を生じさせる条件	condition
期待する状況、状態を生じさせるために設定する値	parameter

期待する状況、状態を生じさせる条件

0232 The processing **condition** optimizing device optimizes the processing **conditions** for a mass production processing line.
（その加工**条件**最適化装置は、量産加工ラインの加工**条件**を最適化します）

0233 The photography system automatically selects an image processing database in accordance with photographing **conditions**.
（その撮影システムは、撮影**条件**に応じて画像処理データベースを自動的に選択します）

期待する状況、状態を生じさせるために設定する値

0234 The screen prompts the user to enter the **parameters** that will optimize the quality of images to be generated.
（その画面は、生成される画像の質を最適化するであろう**条件**の入力を促します）

0235 Measurement is not performed properly if the entered measurement **parameters** fall outside of the allowed range.
（入力された測定**条件**が許容範囲外であると、測定は正しく行われません）

N-061

上昇

increase, rise

「上昇」を表す名詞としては、主にincreaseとriseが用いられます。「圧力（電圧、気圧、水圧など）、温度、湿度、水位などの上昇」を表す場合にはincreaseとriseのどちらも多用されますが、「生産性、コスト、価格などの上昇」を表す場合にはincreaseのほうが一般的に用いられます。

圧力、温度、湿度、水位などの上昇	increase, rise
生産性、コスト、価格などの上昇	increase

圧力、温度、湿度、水位などの上昇

0236 The trim valve controls the **increase** [**rise**] and gain of the pressure in a torque-transmitting device.
（そのトリムバルブは、トルク伝達装置において圧力の**上昇**とゲインを制御します）

0237 An **increase** [A **rise**] in temperature can be prevented by controlling the air flow of the fan with the temperature sensor.
（温度センサーでファンの風量を調整することによって、温度の**上昇**を防ぐことができます）

生産性、コスト、価格などの上昇

0238 The use or nonuse of AI significantly affects the **increase** ratio of labor productivity.
（AIを利用するかどうかは、労働生産性の**上昇**率に大きく影響します）

0239 The oil-cooled device harness can reduce the degradation of the oil-proof performance without causing an **increase** in cost.
（その油冷機器用ハーネスは、コストの**上昇**を招くことなく防油性能の低下を低減できます）

N-062

状態

state, status

「外的要因によって変化する状態」を表す場合はstateを用い、「外的要因によらなくても変化する状態」を表す場合はstatusを用いるのが基本です。ただし、実際には多くの英語のネイティブスピーカーが、この2つの単語をあまり厳密に区別せずに用いています。

外的要因によって変化する状態	state
外的要因によらなくても変化する状態	status

外的要因によって変化する状態

0240 When an electron returns to the electronic ground **state** from an excited **state**, it emits light.
（電子は、励起**状態**から電子基底**状態**に戻るときに発光します）

0241 The insulation inspection device inspects the insulation **state** between the inspection points in a short time.
（その絶縁検査装置は、検査ポイントの間の絶縁**状態**を短時間で検査します）

外的要因によらなくても変化する状態

0242 The track **status** analysis program is used to probe the **status** of railroad tracks inexpensively and accurately.
（その軌道**状態**解析プログラムによって、線路の**状態**を安価に精度よく調べることができます）

0243 The control server shows operating **status** during transportation in real time, based on position information.
（その管理サーバは、位置情報に基づいて、輸送中の運行**状態**をリアルタイムで表示します）

N-063

上部

top, upper part, upper portion

「上部」を表す用語としては、upper partとupper portionを区別なく用いることができます。「上面」という意味に誤解される心配のない文脈であれば、topを用いることもできます。

0244 The web camera is located on the **top** [**upper part** / **upper portion**] of the monitor.
（ウェブカメラはモニターの**上部**に備わっています）

0245 The heating unit heats the inside of the chamber from the **top** [**upper part** / **upper portion**] to prevent condensation.
（加熱部は、チャンバー内を**上部**から加熱し、結露を防ぎます）

0246 An air outlet is provided at the **top** [**upper part** / **upper portion**] of the combustion chamber.
（燃焼室の**上部**に空気吹き出し口が設けられています）

0247 The same menu is always shown at the **top** [**upper part** / **upper portion**] of the screen.
（その画面の**上部**には、常に同じメニューが表示されます）

0248 The pressure gauge has been mounted on the **upper part** [**upper portion**] of the liquid agent container.
＊液剤容器に「上面」があるので、topを用いると「上面」とも解釈できる文脈です。
（圧力計は、液剤容器の**上部**に取り付けられています）

「上部」の反意語である「下部」を表す用語としては、lower partとlower portionを区別なく用いることができます。さらに、「底面」という意味に誤解される心配のない文脈であれば、bottomを用いることもできます。なお、「上部」と「下部」の両方が登場する文では、upper partとlower part、upper portionとlower portionをそれぞれ対にして用いる必要があります。

N-064

上面

top surface, upper surface

物の「上面」を表す用語としては、top surfaceとupper surfaceを区別なく用いることができます。

0249 The **top surface** [**upper surface**] of the light-blocking film is located at a position higher than the **top surface** [**upper surface**] of the reflection electrode.
（その遮光膜の**上面**は、反射電極の**上面**よりも高い位置に配置されています）

0250 The **top surface** [**upper surface**] of each of the dielectric strips has an uneven outline.
（各誘電体ストリップの**上面**は、不均一な輪郭を有しています）

0251 Do not put any object on the **top surface** [**upper surface**] of the apparatus to avoid personal injury and property damage.
（人体損傷と物的損害を避けるため、装置の**上面**には何も置かないでください）

0252 Multiple semiconductor elements have been positioned on the **top surface** [**upper surface**] of the heat transfer base plate.
（複数の半導体素子が伝熱ベース板の**上面**に配置されています）

0253 A circuit board has been attached to the **top surface** [**upper surface**] of the chassis.
（そのシャーシの**上面**には回路基板が取り付けられています）

「上面」の反意語には「下面」（lower surface）と「底面」（bottom surface）があります。これらを「上面」とともに用いる場合は、top surfaceとbottom surface、upper surfaceとlower surfaceをそれぞれ対にして用いる必要があります。

N-065

初期化

initialization, reset

「機械、機器、装置などの稼働を開始するのに必要な事前の処理」という意味の「初期化」には、initializationが用いられます。一方で、「機械、機器、装置などの設定を初期の状態に戻す」という意味の「初期化」の場合には、resetが用いられます。

機械などの稼働開始に必要な事前の処理	initialization
機械などの設定を初期の状態に戻すこと	reset

機械などの稼働開始に必要な事前の処理

0254 When the power is turned on, **initialization** commands are received in the determined order to perform **initialization**.
（電源が投入されると、所定の順序で**初期化**コマンドを受け付けて**初期化**を行います）

0255 When the component processor receives an **initialization** request from an application, it calls the **initialization** control section.
（そのコンポーネント処理装置は、アプリケーションから**初期化**要求を受け取ると、**初期化**制御部を呼び出します）

機械などの設定を初期の状態に戻すこと

0256 A system **reset** is required to resume normal operations after error occurrence.
（エラー発生後に正常な動作を再開するには、システムの**初期化**が求められます）

0257 When a **reset** instruction is input, the user area of the flash memory is reset to the factory default state.
（**初期化**指示が入力されると、フラッシュメモリのユーザー領域は工場出荷状態に初期化されます）

N-066

初期設定

default, default setting, factory default, initial setting

「機械、機器、装置などをリセットした後の設定の状態」を表す場合は、default あるいは default setting を用います。「機械、機器、装置などを使い始めるにあたって最初に行う設定、あるいはその設定をする行為」には initial setting を用います。また、「工場出荷時の設定の状態」を表す場合には factory default を用います。

リセット後の設定の状態	default, default setting
最初に行う設定あるいは設定をする行為	initial setting
工場出荷時の設定の状態	factory default

リセット後の設定の状態

0258 As the **default** [**default setting**], the delay time of the input buffer circuit is set so that the setup time is almost intermediate between the maximum time and the minimum time.
（**初期設定**として、入力バッファ回路の遅延時間は、セットアップ時間が最大と最小の中間程度となるように設定されます）

最初に行う設定あるいは設定をする行為

0259 The **initial settings** of the satellite terminal utilizing an orbital satellite are made by radio.
（周回衛星を利用した衛星端末の**初期設定**が無線で行われます）

工場出荷時の設定の状態

0260 The repaired product will be sent back with its **factory defaults** restored.
（修理された製品は、**工場出荷時の設定**に戻された状態で送り返されます）

N-067

初期値

default, default value, initial value

「機械、機器、装置などをリセットした後の設定の値」を表す場合は、default あるいは default value を用います。「機械、機器、装置などを使い始めるにあたって最初に行う設定の値」を表す場合には initial value を用います。

リセット後の設定の値	default, default value
最初に行う設定の値	initial value

リセット後の設定の値

0261 The parameter display device shows the **defaults** [**default values**] in place of the currently set values when a specific key is pressed.
（そのパラメータ表示装置は、特定のキーが押されると、現在の設定値の代わりに**初期値**を表示します）

0262 When a call is finished, the voice volume of the channel is returned to the **default** [**default value**].
（通話が終了すると、チャネルの音量は**初期値**に戻されます）

最初に行う設定の値

0263 The **initial value** of the internal variable is determined on the basis of an estimated induced voltage.
（その内部変数の**初期値**は、推定された誘起電圧に基づいて決定されます）

0264 The optimum **initial value** of the bias is set by reflecting the influence of external factors.
（そのバイアスの最適な**初期値**は、外部の要因の影響を反映して設定されます）

N-068

除去

elimination, removal

「除去」については、「物の存在を完全になくす」場合はelimination、「ある場所から取り除いて別の場所に移す」場合はremovalを用いる、という説明がよく見られます。しかし実際には、「ノイズ、塵埃（じんあい）、ウイルス、不純物、静電気といった好ましくないものの除去」にはeliminationとremovalを区別なく用い、「目的遂行に不要なもの、支障となるものの除去」にはremovalを一般的に用います。

好ましくないものの除去	elimination, removal
目的遂行に不要なもの、支障となるものの除去	removal

好ましくないものの除去

0265 The image processing device enables appropriate noise **elimination [removal]** in response to image motion.
（その画像処理装置は、画像の動きに応じた適切なノイズ**除去**を可能にします）

0266 The liquid crystal display device has a static **elimination [removal]** structure for smoothly discharging induced static electricity.
（その液晶表示装置は、誘起される静電気を円滑に放電させる静電気**除去**構造を有しています）

目的遂行に不要なもの、支障となるものの除去

0267 To improve fuel cell efficiency, the number of impedance measurements is decreased until moisture **removal** has been completed.
（燃料電池の効率を高めるために、水分**除去**の終了までインピーダンス測定の回数が減らされます）

0268 The ion exchange filter has a highly effective ion **removal** capability.
（そのイオン交換フィルタは、非常に効果的なイオン**除去**能力を有しています）

N-069

振動

oscillation, vibration

「振動」については、「自重によって揺れ戻る振動」にはoscillation、「弾力性によって揺れ戻る振動」にはvibrationを用いるという説明がよく見られます。しかし実際には、「機械的な振動」にvibrationが多用されることを除けば、この2つの単語はあまり厳密に区別せずに用いられます。

「振動」全般	oscillation, vibration
機械的な振動	vibration

「振動」全般

0269 The liquid crystal display elements effectively attenuate the **oscillation [vibration]** of the board and suppress noise.
（その液晶表示素子は、効果的に基板の**振動**を減衰しノイズを抑制します）

0270 The vibration control apparatus can adequately attenuate the **oscillation [vibration]** of lamina materials even when a large **oscillation [vibration]** is present.
（その振動制御装置は、薄板材に生じる**振動**が大きい場合でも、**振動**を十分に減衰することができます）

0271 The **oscillation [vibration]** suppression material suppresses the **oscillation [vibration]** of the diaphragm, resulting in an increase in the mechanical resistance.
（その**振動**抑制材によって振動板の**振動**が抑制され、機械抵抗が増大します）

機械的な振動

0272 The motor control device can increase the output while suppressing the **vibration** of the motor.
（そのモーター制御装置は、モーターの**振動**を抑制しつつ出力を増加できます）

N-070

数式

equation, expression, formula

「等号(=)を含む数式(例:$(x + 3)(x - 2) = 0$)」はequation、「左辺と右辺のどちらか一方のみの数式(例:$3xy + 4x$)」はexpressionで表現します。また、「左辺と右辺の関係を変数を用いて表す法則の数式(例:$A = \pi r^2$)」にはformulaが用いられますが、これはequationの範疇であるとも言えます。

等号を含む数式	equation
左辺と右辺のどちらか一方のみの数式	expression
左辺と右辺の関係を変数を用いて表す法則の数式	formula

等号を含む数式

0273 The design **equation** expressed by y = A/(Bt+C) allows the profile to be easily determined when the thickness of two points is specified. (y = A/(Bt+C)で与えられるデザイン**式**を用いると、2点の厚みを指定することでプロファイルを容易に決定できます)

左辺と右辺のどちらか一方のみの数式

0274 The **expression** for estimating the arrival direction of radar waves is in the form of sin^–1(a x tan^–1b).
(レーダー波の到来方向を推定するための**数式**は、sin^–1(a x tan^–1b)の形をしています)

左辺と右辺の関係を変数を用いて表す法則の数式

0275 The circumference of a circle is given by the **formula** $C = \pi d$ where d represents the diameter of the circle.
(円の外周は、dが円の直径を表すところの**数式**$C = \pi d$で求められます)

N-071

隙間

clearance, gap

意図的に設けられた隙間のような「何らかの意味のある隙間」を表す場合は、clearanceを用います。一方で、「特に意味のない隙間」にはgapを用いるのが基本とされています。ただし、実際には多くの英語のネイティブスピーカーがこの2つの単語をあまり厳密に区別せずに用いています。

何らかの意味のある隙間	clearance
特に意味のない隙間	gap

何らかの意味のある隙間

0276 A **clearance** is provided between adjacent plate-like members to allow water leakage.
（隣り合う板状部材の間には、水が漏れ出すように**隙間**が設けられます）

0277 A **clearance** is formed between the inner wall and the inner circumferential surface of the external cylinder.
（内壁と外筒の内周面との間には**隙間**が形成されます）

特に意味のない隙間

0278 Silicone resin is filled into the **gap** between the inner circumferential surface of the holding cylinder and the outer circumferential surface of the housing.
（保持筒の内周面と筐体の外周面との間に生じた**隙間**を埋めるために、シリコン樹脂が充填されます）

0279 Underfill resin is filled in the **gap** between the substrate and semiconductor chip so that a void does not occur in the **gap**.
（基板と半導体チップとの**隙間**にボイドが発生しないように、**隙間**にアンダーフィル樹脂が充填されます）

N-072

制限

limitation, restriction

「外的要因による制限」にはrestriction、「元々存在する（内在する）制限」にはlimitationを用いるという説明がよく見られます。しかし実際には、技術情報を伝える文脈において、この2つの単語はあまり厳密に区別せずに用いられます。

0280 The use restriction program serves to impose use **limitations [restrictions]** on electronic devices.
（その使用制限プログラムは、電子機器に使用**制限**を課す働きをします）

0281 The viewing **limitation [restriction]** is imposed, based on the rating information registered in the viewing **limitation [restriction]** database.
（視聴**制限**は、その視聴**制限**データベースに登録されたレーティング情報に基づいて行われます）

0282 Appropriate color material **limitation [restriction]** processing is performed in accordance with the printing conditions.
（印刷条件に応じて適切な色材量**制限**処理が行われます）

0283 The function and performance **limitations [restrictions]** on the system are set, based on the function **limitation [restriction]** setting values specified with the function **limitation [restriction]** setting register.
（そのシステム上の機能と性能の**制限**は、機能**制限**設定レジスタで指定された機能**制限**設定値に基づいて設定されます）

0284 The proxy server includes a URL **limitation [restriction]** table as well as a content **limitation [restriction]** table.
（そのプロキシサーバは、URL **制限**テーブルに加えて、コンテンツ**制限**テーブルを有しています）

N-073

精度

accuracy, precision

「あるべき値やレベルに対する近さ」という意味の「精度」を表す場合にはaccuracyを用い、「ばらつきの少なさ」という意味の「精度」を表す場合にはprecisionを用いるのが基本とされています。ただし、実際には多くの英語のネイティブスピーカーが、この2つの単語をあまり厳密に区別せずに用いています。

あるべき値やレベルに対する近さ	accuracy
ばらつきの少なさ	precision

あるべき値やレベルに対する近さ

0285 The robot control device reduces the influence of hysteresis and improves the **accuracy** of control.
（そのロボット制御装置は、ヒステリシスの影響を低減し、制御の**精度**を向上させます）

0286 The semiconductor temperature sensor is capable of improving the **accuracy** of temperature detection.
（その半導体温度センサーは、温度検出の**精度**の向上を可能にします）

ばらつきの少なさ

0287 The reliability of measurements can be ensured by judging the **precision** of measurements and judging the validity of the measurements.
（計測の信頼性は、計測の**精度**を判定することと、計測の有効性を判定することで得られます）

0288 The **precision** of color reproduction is improved by the color correction coefficient.
（色再現の**精度**は、色補正係数によって向上されます）

N-074

責任

liability, responsibility

「怠ると法的に問題とされる責任」を表す場合にはliabilityを、「怠っても法的には問題とされないものの、社会的、道義的な見地などから果たされるべき責任」を表す場合にはresponsibilityが用いられます。

怠ると法的に問題とされる責任	liability
怠っても法的には問題とされない社会的、道義的責任	responsibility

怠ると法的に問題とされる責任

0289 Product **liability** refers to the **liability** of a manufacturer and seller for any injury or damage caused by a defective product.
（製造物**責任**は、欠陥製品によって生じた損傷あるいは損害に対する、製造会社及び販売会社の**法的責任**を表しています）

0290 Generally, software licenses limit the **liability** of the software vendor to replacing defective installation disks.
（一般的に、ソフトウエア使用許諾は、ソフトウエアベンダーの**法的責任**を、欠陥のあるインストールディスクの交換にとどめています）

怠っても法的には問題とされない社会的、道義的責任

0291 A quality assurance department bears an important **responsibility** to send defect-free products to the market.
（品質保証部門は、欠陥の無い商品を市場に送り出すうえで重要な**責任**を担っています）

0292 A vendor bears a **responsibility** to provide users with easy-to-follow instructions for their products.
（ベンダーは、自社の製品のための分かりやすい説明書をユーザーに提供する**責任**を有しています）

N-075

切断

cutoff, disconnection

「物質の切断」を表す場合にはcutoffを用います。一方で、「通信の切断」あるいは「電源の切断」を表す場合にはdisconnectionを用います。

物質の切断	cutoff
通信の切断	disconnection
電源の切断	disconnection

物質の切断

0293 Power outages are caused by various factors, including the collapse of telephone poles and the **cutoff** of power lines.
(停電は、電柱の倒壊や送電線の**切断**をはじめとする、さまざまな要因によって引き起こされます)

通信の切断

0294 The communication terminal is able to avoid communication **disconnection** caused by a processing delay due to a CPU overload.
(その通信端末は、CPU過負荷に起因する処理遅延による通信**切断**を回避することができます)

電源の切断

0295 The safety power **disconnection** system automatically shuts down the computer system before a power **disconnection** occurs in the facility.
(その安全電源**切断**システムは、設備内にて電源の**切断**が生じる前に、コンピュータシステムを自動的にシャットダウンします)

N-076

接地

earth, ground

groundが「接地」を表す一般的な名詞として用いられるのに対し、earthは、本来「接地のための電気的な接続先が大地である場合」に用いるものとされています。しかし、実際には「接地」を表すのに多用される単語が国によって異なっており、アメリカではgroundが、イギリスではearthが一般的に用いられます。

0296 The **earth** [**ground**] resistance measuring device is capable of accurately measuring **earth** [**ground**] resistance even under poor conditions in terms of impressed current for the measurement of **earth** [**ground**] resistance.
（その**接地**抵抗測定装置は、**接地**抵抗の測定に用いる印加電流において好ましくない状況下においても、**接地**抵抗を正確に測定できます）

0297 The DC pulse voltage is repeatedly applied to the point between the **earth** [**ground**] electrode and the opposite electrode, making the potential of the opposite electrode higher than that of the **earth** [**ground**] electrode.
（**接地**電極と対向電極との間には直流パルス電圧が繰り返し印加され、対向電極の電位が**接地**電極の電位よりも高くなるように導かれます）

0298 The **earth** [**ground**] connection lead is connected with the **earth** [**ground**] electrode pad, and thus the resin-sealed semiconductor device is stabilized electrically.
（**接地**用接続リードは**接地**用の電極パッドに接続されるので、樹脂封止型半導体装置は電気的に安定化されます）

0299 The electrostatic shielding plate of the winding body is connected with the **earth** [**ground**] terminal through the **earth** [**ground**] line.
（その巻線体の静電シールド板は、**接地**線を介して**接地**端子に接続されます）

N-077

説明

description, explanation

「出来事や決まり事などを言葉で単に描写する」という意味の「説明」の場合はdescriptionが用いられるのに対し、「理由、意味、意図などを分かりやすく論理的に述べる」という意味の「説明」の場合にはexplanationが用いられます。

言葉で単に描写する説明	description
分かりやすく論理的に述べる説明	explanation

言葉で単に描写する説明

0300 The **descriptions** to be provided must include information on the items listed below:
(提供する**説明**には、以下の項目についての情報を含める必要があります)

0301 A user manual for a product must provide users with easy-to-understand **descriptions** about its operational procedures.
(製品のユーザーマニュアルは、操作方法について分かりやすい**説明**をユーザーに提供する必要があります)

分かりやすく論理的に述べる説明

0302 A brief **explanation** about the postponed release of the new version of the application was given on the vendor's website.
(アプリの新バージョンの発売延期について、ベンダーのサイトで短い**説明**がなされました)

0303 The manufacturer provided an **explanation** about the recall of its defective products.
(製造会社は、自社の欠陥製品のリコールについての**説明**を行いました)

N-078

選択

choice, selection

技術情報を伝える文章において、choiceは「強い意志、自由な裁量に基づく選択」を表す場合に多用されるのに対し、selectionは「複数の選択肢の中から最適なものを選択」する場合に用いられます。なお、「強い意志、自由な裁量に基づく選択」であっても、他の単語とともに熟語を構成する場合は、selectionも多く用いられます。

強い意志、自由な裁量に基づく選択	choice
複数の選択肢の中からの選択	selection

強い意志、自由な裁量に基づく選択

0304 The **choice** of a CPU affects the ultimate speed of the computer more than any other single component.
（CPUの**選択**は、他のどのコンポーネントよりもコンピュータの最高速度に影響します）

0305 It is the user's **choice** whether to display further personal details such as a given name.
（ファーストネームなど、さらなる個人情報を表示させるか否かはユーザーの**選択**次第です）

複数の選択肢の中からの選択

0306 The information processor allows the smooth **selection** of needed items from among many items.
（その情報処理装置は、必要な項目を多くの項目からスムーズに**選択**することを可能にします）

0307 **Selection** of frequency components to be output is made in accordance with the **selection** state of the selector circuit.
（出力する周波数成分の**選択**は、セレクタ回路の**選択**状態に基づき行われます）

N-079

先端

point, tip

「ロッド、シャフト、ケーブルといった細長い形状のものの先端」を表す場合には、tipが一般的に用いられます。「針のようなとがったものの先端」を表す場合にはpointも多用されます。

細長いものの先端	tip
とがったものの先端	point, tip

細長いものの先端

0308 The driving unit comprises a cylinder, and the **tip** of its rod has been connected with the lift mechanism section.
（その駆動装置はシリンダーを含んでおり、そのロッドの**先端**はリフト機構部と連結されています）

0309 The portable endoscope has multiple LEDs attached to the **tip** of its scope.
（その携帯内視鏡のスコープの**先端**には、複数のLEDが取り付けられています）

とがったものの先端

0310 The mechanism of the static eliminator enables the position of the **point** [**tip**] of each of its electrode needles to be easily adjusted.
（その除電器の機構により、各電極針の**先端**の位置を容易に調節できます）

0311 The mass spectrometer can perform measurement without generating droplets at the **point** [**tip**] of the needle of its ion source.
（その質量分析装置は、イオン源のニードルの**先端**に液滴を生成させることなく測定を行うことができます）

N-080

増加

increase, increment

increaseは「必ずしも一定ではない値、数、量ごとの増加」、incrementは「一定の値、数、量ごとの増加」を表す場合に用います。

必ずしも一定ではない値、数、量ごとの増加	increase
一定の値、数、量ごとの増加	increment

必ずしも一定ではない値、数、量ごとの増加

0312 The information processor effectively avoids an **increase** in the processing load and an **increase** in the processing delay.
（その情報処理装置は、処理負荷の**増加**や処理遅延の**増加**を効果的に回避します）

0313 The rate control section detects the **increase** rate of image data in the buffer and controls the transmission rate of the encoder.
（レート制御部は、バッファの画像データの**増加**率を検出し、エンコーダの送信レートを制御します）

一定の値、数、量ごとの増加

0314 When a transient condition of vehicle pitching is detected, the **increment** of the braking force is adjusted to the predetermined level.
（車両のピッチングの過渡状態が検出されると、ブレーキ力の**増加**量は、所定のレベルに調整されます）

0315 The analyzer determines that the ride comfort is worsened when the **increment** of vibration acceleration exceeds the preset value.
（その分析装置は、振動加速度の**増加**がプリセット値を超えると、乗り心地が悪化したと判定します）

N-081

操作

manipulation, operation

技術情報を伝える文章において、manipulationは「データ、情報、コードなどの操作」を表す場合に用いられるのに対し、operationは「機械、機器、装置などの操作」を表す場合に用いられます。

データ、情報、コードなどの操作	manipulation
機械、機器、装置などの操作	operation

データ、情報、コードなどの操作

0316 A data **manipulation** method is automatically selected, based on the state of signals generated in the process of analysis.
(データ**操作**方法は、解析過程で生成された信号の状態に基づいて、自動的に選択されます)

0317 **Manipulation** of information on websites is one of the serious problems caused by hackers.
(ウェブサイト上の情報の**操作**は、ハッカーによって引き起こされる深刻な問題の1つです)

機械、機器、装置などの操作

0318 The **operation** tendency analyzing unit analyzes the **operation** tendencies of users through their **operation** records.
(**操作**傾向分析部は、**操作**記録を基にユーザーの**操作**傾向を分析します)

0319 The **operation** detecting section detects a user's **operations** to generate a user **operation** history database.
(**操作**検出部は、ユーザーの**操作**を検知してユーザー**操作**履歴データベースを生成します)

N-082

送信

transfer, transmission

「送信」全般を表す名詞としては、transferとtransmissionがあまり厳密な区別なく用いられます。ただし、「電波のみを用いて行われる送信」についてはtransmissionが一般的に用いられます。

「送信」全般	transfer, transmission
電波のみを用いて行われる送信	transmission

「送信」全般

0320 The data **transfer** [**transmission**] control device serves to properly control the data **transfer** [**transmission**] time.
（そのデータ**送信**制御装置は、データ**送信**時間を適切に制御する働きをします）

0321 Prior to the **transfer** [**transmission**] of image files, the digital multifunction machine accepts the settings of a **transfer** [**transmission**] destination, image format and decryption timing.
（そのデジタル複合機は、画像ファイルの**送信**に先立ち、**送信**先、画像形式及び、復号タイミングの設定を受け付けます）

電波のみを用いて行われる送信

0322 Information acquisition using a GPS module must be limited in a place where radio wave **transmission** is prohibited.
（電波の**送信**が禁止されている場所においては、GPSモジュールによる情報取得は制限されなければいけません）

0323 The **transmission** device simultaneously transmits different signals from multiple antennas by radio.
（その**送信**装置は、複数のアンテナから異なる信号を電波で同時に送信します）

N-083

送信先

destination, recipient

「送信先」を表す名詞としては、destinationが一般的に用いられます。また、「送信先」は「受け手」とイコールなので、ほとんどの文脈でrecipientも用いることができます。なお、「送信元」を意味する言葉とともに用いる場合は、(transmission) source（送信元）とdestination、sender（送り手）とrecipientをそれぞれ対にして用いる必要があります。

0324 The transmission section transmits converted messages to the terminals selected as **destinations** [**recipients**].
（送信部は、変換されたメッセージを**送信先**として選択された端末へ送信します）

0325 The photographing device transfers photographic images to a specified **destination** [**recipient**].
（その撮影装置は、撮影画像を指定された**送信先**に送信します）

0326 The control section makes the transmission section send data to the **destination** [**recipient**] in the specified transmission mode.
（制御部は、指定された送信モードで、送信部から**送信先**にデータを送らせます）

0327 A **source** terminal transmits test signals to a **destination** terminal prior to the transmission of voice signals.
*「送信元」を表すsourceとともに用いられています。
（送信元の端末は、**送信先**の端末に対し、音声信号の送信に先立って試験信号を送信します）

0328 When receiving a data transmission request from a **sender**, the system sends data in the format that suits the device of the **recipient**. *「送り手」を表すsenderとともに用いられています。
（送信元からデータ送信要求を受け取ると、そのシステムは、**送信先**の機器に適した形式のデータを送信します）

N-084

送信元

sender, transmission source

「人であることをイメージさせる送信元」にはsenderを用いますが、「人ではない送信元」にはsenderとtransmission sourceのどちらも用いることができます。transmission sourceを用いる場合、文脈上「送信」であることが明白ならば、transmissionを省略することもできます。また、「送信先」を意味する言葉とともに用いる場合は、destination(送信先)と(transmission) source、recipient(受け手)とsenderを対にして用いる必要があります。

人であることをイメージさせる送信元	sender
人ではない送信元	sender, transmission source

人であることをイメージさせる送信元

0329 The collation server stores the cross-reference information between **senders**' email addresses and their character data.
(その照合サーバは、**送信元**のメールアドレスとキャラクタデータとの対応情報を蓄積します)

0330 If an error occurs during email transmission, it is reported to the **sender**.
(メール送信の際にエラーが生じると、その旨を**送信元**に知らせます)

人ではない送信元

0331 The signal input section converts signals coming from a **sender** [(**transmission**) **source**] into the prescribed signal form.
(信号入力部は、**送信元**からの信号を所定の信号形態に変換します)

0332 Outgoing data includes a (**transmission**) **source** ID, a **destination** ID and text. ＊「送信先」を表すdestinationとともに用いられています。
(送信されるデータは、**送信元**ID、送信先ID及びテキストを含んでいます)

N-085

装置

apparatus, device, equipment, unit

「装置」全般を表すのにはdeviceが広く用いられます。一方で、「メカニカルな動きをイメージさせる装置」はapparatus、「特定の機能に特化した装置、システムや複合体の一部である装置」はunitでも表すことができます。また、「同じ用途で使用される装置の集合」にはequipmentを用います。

メカニカルな動きをイメージさせる装置	apparatus, device
特定の機能に特化した装置、システムや複合体の一部である装置	unit, device
同じ用途で使用される装置の集合	equipment

メカニカルな動きをイメージさせる装置

0333 The agitating **apparatus** [**device**] can efficiently perform agitation to supply molten glass with high homogeneity.
（その攪拌（かくはん）**装置**は、均質性の高い溶融ガラスを供給すべく、攪拌を効率的に行うことができます）

特定の機能に特化した装置、システムや複合体の一部である装置

0334 The fingerprint input **unit** [**device**] allows rotating fingerprints to be easily input.
（その指紋入力**装置**は、回転指紋の入力を容易に行うことができます）

同じ用途で使用される装置の集合

0335 The technological advancement of astronomical observational **equipment** has solved some of the mysteries of the universe.
（天体観測**装置**の技術的な進歩は、宇宙の謎のいくつかを解明しました）

N-086

速度

speed, velocity

speedとvelocityはいずれも「ある時間単位あたりの動きの量」としての「速度」を表しますが、動きの方向も重要視される場合はvelocity、動きの方向が重要視されない場合はspeedが用いられます。

動きの方向が重要視されない速度	speed
動きの方向も重要視される速度	velocity

動きの方向が重要視されない速度

0336 The **speed** detection section detects the **speed** of trains at specific detection points.
（**速度**検知部は、所定の検知地点における列車の**速度**を検知します）

0337 The control unit compares the current running **speed** detected by the running **speed** detection device with the set value.
（制御装置は、走行**速度**検出装置によって検出された現在の走行**速度**と設定値とを比較します）

動きの方向も重要視される速度

0338 The three angular **velocity** sensors detect movements in the x direction, movements in the y direction and movements in the z direction, respectively.
（3個の角**速度**センサーは、それぞれ、X方向、Y方向、Z方向の移動を検知します）

0339 The **velocity** modulation coil is composed of a pair of loop coils for modulating the horizontal deflection **velocity** of electron beams emitted from an electron gun.
（その**速度**変調コイルは、電子銃から出射された電子ビームの水平偏向**速度**を変調するための一対のループコイルで構成されています）

N-087

外側

exterior, outer side, outside

「外側」を表す用語としては、exterior、outer side、outsideが区別なく用いられます。ただし、「内側」を意味する語句とともに用いる場合には、inner side（内側）とouter side、inside（内側）とoutsideを対にして用いる必要があります。また、outsideが「外側」と「外部」とのどちらの意味にも解釈できる文脈においては、exteriorあるいはouter sideを用いる必要があります。

0340 The **exterior** [**outer side** / **outside**] of a copper wire is covered with an insulating material.
（銅線の**外側**は絶縁材で覆われています）

0341 The **exterior** [**outer side** / **outside**] of the metal terminal is surrounded with a strong permanent magnet so that the switch will never be turned off, even during vibration.
（その金属端子の**外側**は強力な永久磁石で取り巻かれており、振動中でもスイッチが切れることはありません）

0342 A light reflecting plate is mounted on the **exterior** [**outer side** / **outside**] of the pole so that it can be turned.
（光反射板が、ポールの**外側**に、回転自在となるよう取り付けられます）

0343 The heating roller heats the pressure roller from the **exterior** [**outer side**].　＊outsideを用いると「外部」とも解釈できる文脈です。
（その加熱ローラーは、加圧ローラーを**外側**から加熱します）

なお、ここでは名詞の「外側」を表す用語を紹介しています。「外側へ（向かって）」と言う場合は、outwardという副詞を以下の例文のように用います。

0344 Dust in the airstream is pushed **outward**, away from the filter, by centripetal force.
（気流中の粉塵は、遠心力により、フィルタから離れて**外側へ**押されます）

N-088

耐久性

durability, endurance

durabilityは「本来見込まれている状況下での耐久性」を表し、enduranceは「本来見込まれていたものよりも大きな負荷の下での耐久性」を表すとの説明がよく見られます。しかし実際には、「機械、機器、装置、部品といった物の耐久性」を表す場合はdurability、「人の耐久性」を表す場合にはenduranceが一般的に用いられます。

物の耐久性	durability
人の耐久性	endurance

物の耐久性

0345 The **durability** testing device can properly evaluate the **durability** of liquid crystal panels in a short period of time.
(その**耐久性**試験装置は、液晶パネルの**耐久性**を短時間で適正に評価できます)

0346 The **durability** of a fuel cell can be improved by increasing the **durability** of its electrolyte membrane.
(電解質膜の**耐久性**を高めることで、燃料電池の**耐久性**を向上できます。)

0347 The tire **durability** forecasting device is capable of forecasting tire **durability** with high precision.
(そのタイヤ**耐久性**予測装置は、タイヤの**耐久性**を精度よく予測できます)

人の耐久性

0348 The **endurance** of a worker engaging in manual labor is related to the energy output required to perform the task.
(肉体労働に従事する労働者の**耐久性**は、仕事をこなすのに求められるエネルギーの出力に関係します)

N-089

短絡

short, short circuit

「短絡」を表す用語としては、shortとshort circuitが区別なく用いられます。ただし、例えば「短絡検査」をshort inspectionとしてしまうと、文脈によっては「短い検査」とも解釈できてしまうので、そのような場合にはshort circuitを用いる必要があります。

0349 A **short** [**short circuit**] in the casing is detected based on the potential difference Vc1.
（その筐体の**短絡**は、電位差Vc1に基づいて検出されます）

0350 The fuel cell is capable of reducing a **short** [**short circuit**] between the electrodes.
（その燃料電池は電極間の**短絡**を低減することができます）

0351 The electromagnetic actuator includes a detector that can detect a **short** [**short circuit**].
（その電磁アクチュエータは、**短絡**を検出する検出器を有しています）

0352 The battery device can prevent a **short** [**short circuit**] between the positive and negative electrodes even if a **short** [**short circuit**] occurs between the positive and negative output terminals.
（その電池装置は、正負の出力端子間で**短絡**が発生した場合でも、正負の電極間の**短絡**を確実に防止できます）

0353 The **short** [**short circuit**] between the first wiring and the second wiring can be easily inspected through the **short** [**short-circuit**] detection method even if the number of wirings is increased.
（第1配線と第2配線との間の**短絡**は、配線本数が増加しても、その**短絡**検出方法で容易に検出することができます）

N-090

力

force, power, strength

forceは「何らかの仕事、働きをするうえで生じたり、加えられたりする力」を表すのに対し、powerは「何らかの仕事、働きをする能力」を表します。また、strengthは「何かに耐えたり、抵抗したりする、もともと備わっている力」を表すのに用いられます。

何らかの仕事、働きをするうえで生じたり、加えられたりする力	force
何らかの仕事、働きをする能力	power
何かに耐えたり、抵抗したりする力	strength

何らかの仕事、働きをするうえで生じたり、加えられたりする力

0354 The pressure sensor detects an attractive **force** or repulsive **force** generated between the power transmitting unit and the power receiving unit.
(その圧力センサーは、送電部と受電部との間で生じる吸引**力**又は反発**力**を検出します)

何らかの仕事、働きをする能力

0355 The garbage processor harnesses the **power** of microorganisms to decompose waste.
(その生ごみ処理装置は、生ごみの分解に微生物の**力**を利用します)

何かに耐えたり、抵抗したりする力

0356 The copper alloy material has a high proof **strength**, high electric conductivity and excellent bendability.
(その銅合金材は、高耐**力**、高導電率及び、優れた曲げ性を有しています)

N-091

中央

center, middle

技術情報を伝える文脈において、「正確な真ん中」という意味の「中央」を表す場合にはcenterが一般的に用いられます。それに対し、「正確性を問題としない中央」を表す場合にはcenterとmiddleのどちらも多用されます。

正確な真ん中	center
正確性を問題としない中央	center, middle

正確な真ん中

0357 The apparatus for molding optical elements is capable of precisely positioning optical elements at the **center** of the mold.
（光学素子の成形装置は、光学素子を金型の**中央**に正確に位置決めすることができます）

0358 A pair of dampers is symmetrically provided on the driving stage so that a driving force is applied to the **center** between the two dampers.
（1対のダンパーが、それら2つのダンパー間の**中央**に駆動力が働くよう、駆動ステージに対称に設けられます）

正確性を問題としない中央

0359 The temperature sensor is placed at the **center** [**middle**] of the shelf to measure the temperature at that spot.
（その温度センサーは、棚の**中央**に配置され、その場所の温度を測定します）

0360 A cavity is formed at the **center** [**middle**] of the central magnetic pole of the lifting magnet.
（そのリフティングマグネットの中心磁極の**中央**に、窪みが形成されます）

N-092

中心

center, middle

技術情報を伝える文脈で「中心」と言う場合、「中央」と同様にcenterとmiddleを以下のように使い分けます。日本語では、3次元的な広がりのあるものについては「中央」よりも「中心」のほうが多用される傾向がありますが、英語では、そうしたニュアンスによる単語の使い分けをすることはありません。

正確な真ん中	center
正確性を問題としない中心	center, middle

正確な真ん中

0361 The angle detection device is capable of computing the errors between the **center** of each detector and the **center** of the dial.
（その角度検出装置は、各検出器の**中心**と目盛り盤の**中心**との間の誤差を算出できます）

0362 A straight line from the **center** to the perimeter of a circle (or from the **center** to the surface of a sphere) is referred to as a radius.
（円の**中心**から円周まで（または球の**中心**から球面まで）の直線は半径と称されています）

正確性を問題としない中心

0363 The structure of the gasket allows the **center** [**middle**] of the gasket to be easily aligned with the **center** [**middle**] of the piping.
（そのガスケットの構造は、ガスケットの**中心**と配管の**中心**との位置合わせを容易にします）

0364 The feed point is not located at the **center** [**middle**] of the patch element but at the **center** [**middle**] of the dielectric plate.
（給電点は、パッチ素子の**中心**ではなく、誘電体板の**中心**に位置しています）

N-093

中断

interruption, suspension

「連続して行われている動作、処理などの過程の中断」であることに強い意味を持たせる場合には、interruptionが用いられます。それに対して、「過程における」中断であることが重要ではなく、「操作や処理全体の中断」である場合には、suspensionが用いられます。

動作、処理などの過程の中断	interruption
操作や処理全体の中断	suspension

動作、処理などの過程の中断

0365 The data transmission system can avoid job **interruption** caused by line disconnection.
（そのデータ伝送システムは、回線切断によるジョブの**中断**を回避できます）

0366 The specimen processing device is capable of shortening the **interruption** time of specimen processing when any failure occurs.
（その検体処理装置は、異常が生じたときの検体処理の**中断**時間を短縮することができます）

操作や処理全体の中断

0367 The protocol should define rules for the **suspension** and discontinuation of clinical trials.
（治験実施計画書には、治験の**中断**と中止についてのルールを定めておく必要があります）

0368 The system provides informational support to enable the smooth **suspension** and resumption of a task.
（そのシステムは、作業の円滑な**中断**と再開を可能にするために、情報のサポートを提供します）

N-094

低下

decline, decrease

「低下」には、「機能、性能、能力、品質、価値などの程度の低下」を表す場合と「温度、濃度、輝度、圧力、出力などの値の低下」を表す場合がありますが、いずれについてもdeclineとdecreaseを区別なく用いることができます。

0369 The semiconductor device can prevent a **decline [decrease]** in the drain withstand voltage and operability of an MOS transistor.
(その半導体装置は、MOSトランジスタのドレイン耐圧及び駆動能力の**低下**を防止することができます)

0370 The lens manufacturing apparatus is capable of preventing a **decline [decrease]** in productivity, the complication of a manufacturing process and the optical performance of lenses.
(そのレンズ製造装置は、生産性、製造工程の煩雑化、及び、レンズの光学的性能の**低下**を防止することができます)

0371 The motor allows an increase in the rigidity of the rotor while suppressing a **decline [decrease]** in torque and efficiency.
(そのモーターは、トルク及び効率の**低下**を抑えつつローターの剛性を高めることを可能とします)

0372 The greenhouse heater can reduce a **decline [decrease]** in temperature caused by the outside air temperature.
(その温室用ヒーターは、外気温度により生じる温度の**低下**を軽減できます)

0373 The image-forming device sets the optimum transfer density and prevents a **decline [decrease]** in image density.
(その画像形成装置は、最適な転写濃度を設定し、画像濃度の**低下**を防ぎます)

N-095

停止

abort, stop

「動作、運転、処理などの停止」、「機械、機器、装置などの停止」、「プログラム、スクリプトなどの停止」を表す名詞としては、stopが一般的に用いられます。「プログラム、スクリプトなどの停止」を表す場合には、abortも用いられますabortは「～を停止する」という動詞としての用法が一般的ですが、このように名詞としての用法もあります。

動作、運転、処理などの停止	stop
機械、機器、装置などの停止	stop
プログラム、スクリプトなどの停止	abort, stop

動作、運転、処理などの停止

0374 When the operation of the device is shifted from **stop** to playback, the microcomputer outputs operation transition information.
（装置の動作が**停止**から再生へ遷移すると、マイコンは動作遷移情報を出力します）

機械、機器、装置などの停止

0375 The IC card system is capable of distributing loads to a server and securing the functions of the system even if the server goes into the **stop** state.
（そのICカードシステムは、サーバへの負荷を分散でき、しかも、サーバが**停止**状態に陥ってもシステムの機能を確保することができます）

プログラム、スクリプトなどの停止

0376 Start and **abort** [**stop**] of the target program are executed in accordance with the designation of the debugger.
（対象プログラムの開始と**停止**は、デバッガの指定に従って実行されます）

N-096

底面

bottom, bottom surface

物の「底面」を表す名詞としては、bottomとbottom surfaceがあまり厳密に区別せずに用いられます。ただし、回路基板のように「底面」の表面(ひょうめん)全体にも大きな意味がある場合には、bottom surfaceを用います。

0377 Light coming from the LED is taken in through the **bottom** [**bottom surface**] of the light-guiding plate and emitted from the top surface of the plate.
（LEDからの光は、導光板の**底面**から入射され、上面から出射されます）

0378 The **bottom** [**bottom surface**] of the heat-radiating member adheres to the mold resin.
（その放熱部材の**底面**は、モールド樹脂に密着しています）

0379 The temperature sensor in contact with the **bottom** [**bottom surface**] of the cooking vessel detects the temperature there.
（調理容器の**底面**に接触している温度センサーが、そこの温度を検出します）

0380 A piezoelectric element for operating the diaphragm is attached to the **bottom** [**bottom surface**] of the diaphragm.
（ダイヤフラムを動かすための圧電素子が、ダイヤフラムの**底面**に設置されます）

底面の表面全体にも大きな意味がある場合

0381 The automotive radar includes a processor mounted on the **bottom surface** of the printed circuit board.
（その自動車用レーダーは、回路基板の**底面**にマウントされたプロセッサを含有しています）

N-097

適合性

compatibility, conformity

「規格、基準、規制、法令、要件などへの適合性」を表す場合には、conformityが一般的に用いられます。それに対し、それら以外のものとの適合性、すなわち「満たす、従う、守ることなどを要さないものとの適合性」を表す場合にはcompatibilityが多用されます。

規格、基準、規制、法令、要件などへの適合性	conformity
満たす、従う、守ることなどを要さないものとの適合性	compatibility

規格、基準、規制、法令、要件などへの適合性

0382 The product design support server supports product design in which **conformity** with standards is taken into consideration.
（その製品設計支援サーバは、規格への**適合性**を考慮した製品設計を支援します）

0383 To sell its medical equipment in the European market, a manufacturer must generate technical documents that demonstrate its **conformity** to the relevant standards.
（欧州市場で医療機器を販売するには、製造会社は、該当する規格への**適合性**を証明する技術文書を作成しなければなりません）

満たす、従う、守ることなどを要さないものとの適合性

0384 The artificial bone material has good **compatibility** with the human body and allows ossification to progress smoothly.
（その人工骨材は、人体への良好な**適合性**を有し、骨形成のスムーズな進展を可能にします）

0385 The soil improvement method has excellent **compatibility** with the environment.
（その地盤改良工法は、環境への**適合性**に優れています）

N-098

電荷

electric charge, electrical charge

「電荷」を表す用語としては、electric chargeとelectrical chargeが区別なく用いられます。ただし、「正電荷」、「負電荷」、「イオン電荷」、「電荷検出」、「電荷測定」などのように別の言葉を付けた複合語とする場合には、chargeだけを用います。また、「電荷」について述べていることが明白な文脈では、多くの場合chargeだけを用います。

0386 Generated **electric charges [electrical charges]** are transferred through the **charge transfer path** by voltage applied from the **charge** transfer electrodes.
（発生した**電荷**は、**電荷**転送電極から印加される電圧により、**電荷**転送路上を移送されます）

0387 The multiplier register multiplies the **electric charge [electrical charge]** received from the output register.
（その増倍レジスタは、出力レジスタから受けた**電荷**を増倍します）

0388 The secondary cell electrode enables **electric charges [electrical charges]** to be efficiently transported due to its high **charge density**.
（その2次電池用電極は**電荷**密度が高く、**電荷**を効率よく移動することができます）

0389 The **charge detection node** stores **electric charge [electrical charge]** until being reset by the controller.
（**電荷**検出ノードは、コントローラによってリセットされるまで、**電荷**を蓄積します）

0390 The **charge-injection circuit** serves to inject an **electric charge [electrical charge]** into the floating gate.
（**電荷**注入回路は、浮遊ゲートに**電荷**を注入する役割を担っています）

N-099

転換

change, transformation

日本語の「転換」は、主に「物事の傾向や方針を変えること」を意味します。英語で「方法、手法、手段、方針、アイデアなどの転換」を表す場合、changeを用いても意味は通じますが、この「転換」は大きな変化を意味することが多いため、changeよりも大きく劇的な変化を意味するtransformationを用いるのが一般的です。「進む（動く）向きの転換」にはchangeを用います。

方法、手法、手段、方針、アイデアなどの転換	transformation
進む（動く）向きの転換	change

方法、手法、手段、方針、アイデアなどの転換

0391 Automobile manufacturers have undertaken the **transformation** of their design approaches in response to technological innovations.
（自動車メーカーは、技術革新に応え、設計手法の**転換**に取り組んでいます）

0392 The CEO of the smartphone company made an announcement about the **transformation** of its business strategy to significantly increase its product's competitiveness.
（携帯電話会社のCEOは、自社製品の競争力を大きく高めるために、事業戦略の**転換**を発表しました）

進む（動く）向きの転換

0393 The tip-resistant mechanism of the wheelchair enables a smooth **change** in direction.
（その車椅子の転倒防止機構は、円滑な方向**転換**を可能にします）

N-100

電源

power, power source, power supply

「電源」を表す用語としては、power sourceとpower supplyを区別なく用いることができます。ただし、switched-mode power supply（スイッチング電源）、power cable（電源ケーブル）といった専門用語として定着しているものは、その定着している表現を用います。また、「電源を入れる、切る、供給する」といった動作を伝える場合の「電源」は、power1語で表すのが一般的です。

0394 A DC **power source** [**power supply**] unit has a rectifier to convert alternating current to direct current.
（直流**電源**ユニットは、交流を直流に変換する整流器を有しています）

0395 The **power source** [**power supply**] has multiple **power source** [**power supply**] modules connected in parallel.
（その**電源**は、並列に接続された複数の**電源**モジュールを有しています）

0396 A **power source** [**power supply**] switching circuit, which switches between two **power sources** [**power supplies**], prevents current from flowing between the two when the voltage of one of them drops.
（2つの**電源**を切り替える**電源**切替回路は、一方の電圧が低下した際に、双方の間に電流が流れるのを防止します）

電源を入れる、切る、供給するなどの動作を伝える場合

0397 Before turning on the **power** to the machine, check that no persons are present near its movable arms.
（機械の**電源**を入れる前に、その稼働アームの近くに誰もいないことを確認してください）

0398 If the **power** of a PC is turned off while the installation is in progress, the installation must be executed from the beginning.
（もしインストールの途中でPCの**電源**が切られると、インストールは最初から実行し直す必要があります）

N-101

点線

dashed line, dotted line

「ドット(・)からなる点線(………)」にはdotted line、「ダッシュ(–)からなる破線(–––––)」にはdashed lineを用いるのが基本です。ただし、実際にはこれら2つの用語はあまり厳密に区別せずに用いられます。

0399 An anchor connecting a component to an adjacent component is represented by a small semicircular indicator, with a **dashed line [dotted line]** extending between the two components.
(コンポーネントを隣接する別のコンポーネントに接続するアンカーは、小さな半円のインジケータで表示され、2つのコンポーネントは**点線**で結ばれます)

0400 Attached to an ordinary writing implement, this auxiliary device allows the user to easily draw **dashed lines [dotted lines]**, wavy lines and spiral lines.
(この補助装置は、通常の筆記具に装着することで、**点線**、波線、螺旋状の線を容易に描くことを可能にします)

0401 The **dashed line [dotted line]** in the figure shows how the concentration changes with time.
(図中の**点線**は、濃度の経時変化を示しています)

0402 The car navigation system houses an acceleration sensor, as indicated with a **dashed line [dotted line]**.
(そのカーナビは、**点線**で示されるように、加速度センサーを内蔵しています)

0403 The image processing device does not express segment lines as broken segment lines (**dashed lines [dotted lines]**).
(その画像処理装置は、線分を途切れた線分(**点線**)として表現することはありません)

N-102

転送

forwarding, transfer

技術情報を伝える日本語の文章では、「送信」とすべきところを「転送」としているものを多く目にします。「転送」の本来の意味は「送られてきたものをさらに他にあてて送ること」であり、それを表す英語の名詞としては、forwardingとtransferが区別なく用いられます。ただし、「～転送」、「転送～」といった複合語の一部として使用される場合は、その用語の慣用的な用法に従います。なお、専門用語ではforwardingよりもtransferのほうが多く用いられる傾向があります。

0404 The communication relay system can keep controlling the **forwarding [transfer]** of data even when any failure occurs in a communication device.
（その通信中継システムは、通信装置に障害が発生した場合も、データの**転送**を制御し続けることができます）

0405 The packet **forwarding [transfer]** device is extremely capable of processing multicast packets at high speed.
（そのパケット**転送**装置は、マルチキャストパケットを高速で処理する能力に優れています）

0406 The policy notification section notifies a relay server of the security policy for **forwarding [transfer]**.
（ポリシー通知部は、**転送**用セキュリティポリシーを中継サーバに通知します）

0407 The **data transfer** system aids in reducing unnecessary **data transfer**. ＊data transferという複合語が用いられている例です。
（そのデータ**転送**システムは、無駄なデータ**転送**を減らす役割も担っています）

0408 The packet relay device is capable of efficiently performing **multicast packet forwarding**.
＊multicast packet forwardingという複合語が用いられている例です。
（そのパケット中継装置は、効率的なマルチキャストパケット**転送**が可能です）

N-103

転倒

overturn, rollover

「機械、機器、装置などの転倒」を表す名詞としては、overturnとrolloverのどちらも用いることができますが、rolloverよりもoverturnのほうがより一般的に用いられます。

0409 The weighing scale has a function that prevents the scale from **overturn** [**rollover**] when a load is placed near the edge of the loading space.
(その重量計は、載せ台の端の近くに荷重が加わった際に**転倒**を防止する機能を有しています)

0410 A crawler crane is equipped with a safety device for preventing **overturn** [**rollover**] and breakage.
(クローラクレーンは、**転倒**や破損を防止する安全装置を備えています)

0411 This equipment can prevent the **overturn** [**rollover**] and slippage of furniture during an earthquake of any magnitude.
(この器具は、どんなに大きな地震の際にも、家具の**転倒**やズレを防ぐことができます)

0412 The fire extinguisher is equipped with a device that helps prevent **overturn** [**rollover**] even when an extremely strong earthquake occurs.
(その消火器は、極めて強い地震が生じても**転倒**を防ぐのを助ける装置を備えています)

0413 This device is capable of preventing an unsecured musical instrument from **overturn** [**rollover**].
(この装置は、固定されていない楽器の**転倒**を防ぐことができます)

N-104

導入

adoption, implementation, introduction

「ハードウエア（機械、機器、装置など）、ソフトウエア、手法などの導入」を表す名詞としては、adoption、implementation、introductionが区別なく用いられます。「気体、液体などの、導入口を通しての導入」を表す場合にはintroductionを用います。ただし、introductionには「紹介」という意味もあるので、誤解が生じる可能性のある文脈では使用を避ける必要があります。

ハードウエア、ソフトウエア、手法などの導入	adoption, implementation, introduction
気体、液体などの、導入口を通しての導入	introduction

ハードウエア、ソフトウエア、手法などの導入

0414 The evaluation system serves to identify the cause(s) when the **adoption** [**implementation** / **introduction**] of a new system does not produce the expected result.
（その評価システムは、新しいシステムの**導入**が、期待された結果をもたらさない場合に、原因を特定する役割を果たします）

0415 The **adoption** [**implementation** / **introduction**] of the new production number management method makes it possible to perform production planning and management more efficiently.
（その新しい製番管理手法の**導入**は、生産計画・管理を、より効率的に行うことを可能にします）

気体、液体などの、導入口を通しての導入

0416 After the film formation is completed, the **introduction** of oxygen gas and hydrogen gas is stopped.
（成膜が終了すると、酸素ガスと水素ガスの**導入**は停止されます）

N-105

内径

bore diameter, inner diameter, inside diameter, internal diameter

「内径」を表す用語としては、bore diameter、inner diameter、inside diameter、internal diameterを区別なく用いることができます。

0417 The suck-back chamber has a larger **bore diameter [inner diameter / inside diameter / internal diameter]** than the flow channel.
(そのサックバック室は、流路よりも大きな**内径**を有しています)

0418 The **bore diameter [inner diameter / inside diameter / internal diameter]** of the step converter is larger than that of the first waveguide and smaller than that of the second waveguide.
(ステップ変換部の**内径**は、第1導波管のそれより大きく、第2導波管のそれより小さくなっています)

0419 The **bore diameter [inner diameter / inside diameter / internal diameter]** of the cap orifice is almost the same as of the nozzle orifice.
(キャップオリフィスの**内径**は、ノズルオリフィスのそれとほぼ同じです)

0420 The **bore diameter [inner diameter / inside diameter / internal diameter]** of the refrigerant outlet must be 90 to 110 percent of that of the outlet pipe
(冷媒出口の**内径**は、出口パイプのそれの90〜110%である必要があります)

0421 The measuring device is capable of highly accurately measuring the **bore diameter [inner diameter / inside diameter / internal diameter]** of a target having a small **bore diameter [inner diameter / inside diameter / internal diameter]**.
(その測定装置は、**内径**が小さな対象物の**内径**を、高精度に測定できます)

「外径」と「内径」が同じ文の中にセットで登場する場合の使い分けについては、N-015「外径」の項目を参照してください。

N-106

入力

entry, input

「情報、データ、パラメータ、値などの入力」を表す名詞としては、entryとinputが区別なく用いられます。「信号、電力、エネルギーなどの入力」にはinputを用います。また、「～入力」、「入力～」といった複合的な専門用語の一部として使用する場合は、entryよりもinputのほうが多く用いられます。

情報、データ、パラメータ、値などの入力	entry, input
信号、電力、エネルギーなどの入力	input

情報、データ、パラメータ、値などの入力

0422 When the **entry** [**input**] of information is initiated, multiple candidates are presented by the **input support program**.
＊input support programはinputが用いられる複合語の例です。
（情報の**入力**が開始されると、**入力**支援プログラムによって複数の候補が提示されます）

0423 The system has been configured so that **entry** [**input**] of a password is required after a certain period of inactivity.
（そのシステムは、一定期間の休止状態に置かれるとパスワードの**入力**が求められるよう設定されています）

信号、電力、エネルギーなどの入力

0424 The **input** of call signals is instantly detected by the call signal detector.
（呼び出し信号の**入力**は、呼び出し信号検出装置によって瞬時に検出されます）

0425 The **input** of current into the inverter driving the compressor is detected by the current sensor.
（圧縮機を駆動するインバータへの電流の**入力**は、電流センサーによって検出されます）

N-107

濃度

concentration, density

「液体や気体の濃度」を表す名詞としては、concentrationとdensityが区別なく用いられます。それに対し、「画像などの色の濃度」を表す場合にはdensityが一般的に用いられます。

液体や気体の濃度	concentration, density
画像などの色の濃度	density

液体や気体の濃度

0426 The device can easily examine the **concentration** [**density**] of a treatment solvent that is to be reused.
（その装置は、再生使用される処理溶剤の**濃度**を簡単に検査できます）

0427 The device is capable of accurately measuring gas **concentration** [**density**] in a wide range, from low **concentration** [**density**] to high **concentration** [**density**].
（その装置は、低**濃度**から高**濃度**までの広い範囲でガス**濃度**を正確に測定できます）

画像などの色の濃度

0428 The laser light source is capable of reducing differences in the color **density** of an image.
（そのレーザー光源は、画像の色の**濃度**差を抑制することができます）

0429 The copier detects the lowering of the color **density** of ink and then notifies the user.
（そのコピー機は、インクの色**濃度**の低下を検出し、ユーザーに通知します）

N-108

能力

ability, capability

abilityは「何かを行うのに要する能力」を表すのに対し、capabilityは「何かを遂行できる能力」を表します。例えば、ネイティブスピーカーと英語で会話ができる能力はcapabilityであり、そのために必要なスピーキングとリスニングの能力はabilityです。ただし、どちらの「能力」なのかが判別できない文脈も多く、そうした場合にはこの2つの単語は区別なく用いられます。

何かを行うのに要する能力	ability
何かを遂行できる能力	capability

何かを行うのに要する能力

0430 The device is capable of measuring the walking **ability** of an examinee.
（その装置は、被験者の歩行**能力**を測定することができます）

0431 The device is used to accurately evaluate the judgement **ability** of a driver.
（その装置は、運転者の判断**能力**を正確に評価するために用いられます）

何かを遂行できる能力

0432 In terms of job processing, the image forming device has a higher **capability** than the previous model.
（その画像形成装置は、ジョブ処理において、前のモデルよりも高い**能力**を有しています）

0433 The liquid injection device has high durability and a high-injection **capability**.
（その流体噴射装置は、高い耐久性と高い噴射**能力**を有しています）

N-109

配置

arrangement, layout, placement

「特定のスペースにおける複数の物の配置」を表す名詞としては、arrangementとlayoutが区別なく用いられます。それに対し、建物の中の部屋の配置のような「ある場所全体を意識した物の配置」といった意味を表すにはlayoutが用いられます。placementは、「全体的な調和を意識する必要のない配置」に多用されます。

特定のスペースにおける複数の物の配置	arrangement, layout
ある場所全体を意識した物の配置	layout
全体的な調和を意識する必要のない配置	placement

特定のスペースにおける複数の物の配置

0434 An appropriate **arrangement** [**layout**] of office machines enhances the working efficiency of each worker.
(事務機器の適切な**配置**は、各作業者の作業効率を高めます)

ある場所全体を意識した物の配置

0435 The Desktop Layout menu allows a user to customize the **layout** of the desktop.
(Desktop Layoutメニューにより、ユーザーはデスクトップの**配置**をカスタマイズできます)

全体的な調和を意識する必要のない配置

0436 The pulse wave detector is capable of detecting the **placement** of a living body.
(その脈波検出装置は、生体の**配置**を検出することができます)

N-110

背面

back, back side, rear, rear side

「後ろ側の面」という意味の「背面」を表す名詞としては、backとrearを区別なく用いることができます。また、単に「後ろ側」という意味の「背面(側)」を表す場合は、sideを付け加えたback sideとrear sideを区別なく用います。

後ろ側の面	back, rear
後ろ側	back side, rear side

後ろ側の面

0437 The wind of the fan directly hits the **back** [**rear**] of the liquid crystal panel and draws heat from the **back** [**rear**] of the panel.
(ファンの風は液晶パネルの**背面**に直接当たり、パネルの**背面**から熱を奪います)

0438 The diaphragm is oscillated by sound pressure coming from the **back** [**rear**] of the speaker.
(振動板は、スピーカーの**背面**からの音圧によって振動します)

後ろ側

0439 The exterior of the electronic camera body is composed of a front cover on the front side and a rear cover on the **back side** [**rear side**].
(電子カメラ本体の外装は、前面側の前カバーと**背面側**の後カバーとで構成されます)

0440 Each of the racks for housing devices is provided with a temperature sensor on its **back side** [**rear side**].
(機器を収納する各ラックの**背面側**に、温度センサーが設けられています)

N-111

倍率

magnification, magnifying power

「顕微鏡、拡大鏡、反射鏡などの倍率」を表す用語としては、magnificationとmagnifying powerのどちらも多用されます。一方、「画面表示、画像や文字の表示、複写などの倍率」を表す場合にはmagnificationが用いられます。

顕微鏡、拡大鏡、反射鏡などの倍率	magnification, magnifying power
画面表示、画像や文字の表示、複写などの倍率	magnification

顕微鏡、拡大鏡、反射鏡などの倍率

0441 The **magnification** [**magnifying power**] of the first objective lens is higher than that of the second objective lens.
(第1対物レンズの**倍率**は、第2対物レンズよりも高いです)

0442 By making the **magnification** [**magnifying power**] of the first reflection mirror higher than that of the second reflection mirror, the viewing angle can be increased in the x direction.
(第1反射鏡の**倍率**を第2反射鏡より高くすることで、視角をX方向について大きくすることができます)

画面表示、画像や文字の表示、複写などの倍率

0443 The image processing program can prevent image degradation from occurring when the **magnification** of an image is changed.
(その画像処理プログラムは、画像の**倍率**を変更する際に生じる画質の劣化を防止できます)

0444 The copier allows the copy **magnification** to be changed in the range from 25 to 400 percent.
(その複写機は、複写**倍率**を25%から400%までの範囲で変更できます)

N-112

配列

arrangement, array, sequence

「キー、ピン、孔などの配列」、「データ、文字、記号といった情報の配列」を表す名詞としては、arrangementとarrayが区別なく用いられます。また、「遺伝子、アミノ酸、核酸のような有機物の配列」を表す名詞としては、arrangementとsequenceが区別なく用いられます。

キー、ピン、孔などの配列	arrangement, array
データ、文字、記号といった情報の配列	arrangement, array
遺伝子、アミノ酸、核酸のような有機物の配列	arrangement, sequence

キー、ピン、孔などの配列

0445 The mobile terminal allows the user to customize the **arrangement** [array] and size of keys to be shown on its display.
（その携帯端末上で、ディスプレイに表示されるキーの**配列**と大きさをカスタマイズすることができます）

データ、文字、記号といった情報の配列

0446 The magnetism sensing directions of the magnetism sensor are inclined with respect to the direction orthogonal to the **arrangement** [array] direction of magnetic data.
（その磁気センサーの磁気検出方向は、磁気データの**配列**方向に直交する方向に対して傾いています）

遺伝子、アミノ酸、核酸のような有機物の配列

0447 Genome data comprise information on the position and **arrangement** [sequence] of a gene.
（そのゲノム情報は、遺伝子の位置と**配列**の情報で構成されています）

N-113

場所

area, location, place

スペースをまったく念頭に置かず、単純に「地点、位置」としての「場所」を伝える場合には、location が用いられます。それに対し、area と place はいずれもスペースを念頭に置いて「場所」を伝える場合に用いられます。具体的には、place は「スペースの状況にも意味がある」場合に用いられるのに対し、area は「スペースの状況には特に意味がない」場合に用いられます。

地点、位置	location
スペースの状況にも意味のある場所	place
スペースの状況には特に意味のない場所	area

地点、位置

0448 The lighting-equipment controller controls lighting equipment according to usage at its installation **location**.
（その照明機器制御装置は、設置**場所**での使用用途に応じて照明機器を制御します）

スペースの状況にも意味のある場所

0449 The organic EL element is capable of securing excellent visibility even in a bright **place**.
（有機 EL 素子は、明るい**場所**においても、優れた視認性を確保できます）

スペースの状況には特に意味のない場所

0450 The data protection circuit selectively allows access to data stored in a storage **area**.
（そのデータ保護回路は、記憶**場所**に保存されたデータへのアクセスを選択的に許可します）

N-114

破線

broken line, dashed line

「ダッシュ(–)からなる破線(– – – – –)」を表す用語としては、broken lineとdashed lineが区別なく用いられます。

0451 The circuit in the figure is divided into a section surrounded by a **broken line** [**dashed line**] and a section not surrounded by a **broken line** [**dashed line**].
(図中の回路は、**破線**で囲まれた部分と**破線**で囲まれていない部分とに分けられます)

0452 When a card has not been inserted into the slot, the lock plate can rotate counterclockwise from the position indicated by the **broken line** [**dashed line**].
(カードがスロットに挿入されていない状態では、ロックプレートは**破線**で示された位置から反時計回りに回転できます)

0453 Light emitted by the LED reaches even the corners of the diffusion plate, as shown by the **broken lines** [**dashed lines**].
(**破線**で示すように、LEDから出射された光は拡散板の隅まで届きます)

0454 When the dripping nozzle is washed, the nozzle is moved to the washing position (**broken line** [**dashed line**]).
(滴下ノズルが洗浄される際に、ノズルは洗浄位置(**破線**)まで移動します)

0455 The laser beam irradiation device irradiates laser beams toward the central axis of the rotating table, as shown by the **broken line** [**dashed line**].
(そのレーザー光照射装置は、**破線**で示すように、回転テーブルの中心軸に向けてレーザー光を照射します)

N-115

範囲

extent, range

上限・下限で決められた範囲や値が変動する範囲といった「数値で表される（表せる）範囲」、あるいは選択の範囲のような「具象的な事項の範囲」を表す場合には、rangeが用いられます。それに対し、extentは保証の範囲のような「抽象的な事項の範囲」を表す場合に用いられます。

数値で表される（表せる）範囲	range
具象的な事項の範囲	range
抽象的な事項の範囲	extent

数値で表される（表せる）範囲

0456 Maintaining an appropriate **range** of ambient temperature is crucial for the long term use of the apparatus.
（周囲温度を適切な**範囲**内に保つことは、装置を長期間使用するうえで不可欠です）

具象的な事項の範囲

0457 The color conversion table is highly accurately adjusted according to the selected **ranges** of hue, saturation and brightness.
（色変換テーブルは、選択された色相、彩度、明度の**範囲**に応じて高精度に調整されます）

抽象的な事項の範囲

0458 The **extent** of warranty is detailed on the warranty card that comes with the product.
（保証の**範囲**は、製品に添付される保証書に記載されています）

N-116

反転

inversion, reverse

「左右、上下、方向、向きの反転」を表す名詞としては、reverseが一般的に用いられます。「順序の反転」を表す場合は、reverseとinversionのどちらも多用されます。

左右、上下、方向、向きの反転	reverse
順序の反転	inversion, reverse

左右、上下、方向、向きの反転

0459 The image signal processing circuit performs image conversion such as mirror **reverse**.
（映像信号処理回路は、左右**反転**などの画像変換を行います）

0460 The information processing unit is equipped with a display orientation **reverse** function.
（その情報処理装置は、表示方向**反転**機能を備えています）

順序の反転

0461 Each update of the duty command is followed by the **inversion** [**reverse**] of the arrangement sequence of duty command pulses.
（デューティ指令の更新のたびに、デューティ指令パルスの配置順序の**反転**が行われます）

0462 The driving unit performs the **inversion** [**reverse**] of the driving order of the liquid crystal cells according to the presence/absence of an **inversion** [a **reverse**] instruction.
（駆動部は、**反転**指示の有無に応じて液晶セルの駆動順序の**反転**を行います）

N-117

反応

reaction, response

「ある出来事、現象などに対して自然に生じる反応」を表現する場合にはreactionを用い、「何かを意図的に伝える反応」にはresponseを用いるのが基本だとされています。ただし、実際にはこの2つの単語は、多くの文脈においてあまり厳密に区別せずに用いられます。

自然に生じる反応	reaction
何かを意図的に伝える反応	response

自然に生じる反応

0463 The device allows the user to simultaneously monitor chemical **reactions** in multiple **reaction** tanks.
（その装置は、複数の**反応**槽の中での化学**反応**を同時に観察することを可能にします）

0464 The rate of **reaction** in each reactor can be improved by arranging small reactors in parallel.
（小型の反応器を並列することにより、各反応器での**反応**率を向上できます）

何かを意図的に伝える反応

0465 The **response** output device identifies a user and outputs a **response** depending on his/her motions.
（その**反応**出力装置はユーザーを識別し、その動作に応じて**反応**を出力します）

0466 This method is used to avoid the delay of a **response** to a user's stop request.
（このメソッドは、ユーザーの停止要求に対する**反応**の遅れを避けるのに用いられます）

N-118

左上

top left, upper left

画面、図面、パネルのような「平面状の物の左上」を表す用語としては、top left とupper leftが区別なく用いられます。日本語の「左上」と同じ順序でleft top と言うこともできますが、上よりも左を先に意識させたほうが読み手が位置を理解しやすい場合を除き、top leftがより一般的に用いられます。

0467 A file and folder can be easily deleted by dragging them into the Recycle Bin located on the **top left** [**upper left**] of the desktop.
（ファイルやフォルダは、デスクトップの**左上**にあるごみ箱へドラッグすることで簡単に削除できます）

0468 The browser window returns to the previous page when the left arrow button at the **top left** [**upper left**] of the window is clicked.
（ブラウザのウインドウの**左上**にある左矢印ボタンをクリックすると、ウインドウは前のページに戻ります）

0469 The power switch is located in the **top left** [**upper left**] of the front panel of the apparatus.
（電源スイッチは、装置の前面パネルの**左上**に位置しています）

0470 A check mark is shown on the **top left** [**upper left**] of a selected thumbnail image to indicate the selection.
（選択されたサムネイル画像の**左上**には、選択されたことを示すチェックマークが表示されます）

0471 To delete an image, check the checkbox at the **top left** [**upper left**] of the image, and then click the Delete button.
（画像を削除するには、画像の**左上**にあるチェックボックスにチェックを入れてから、削除ボタンをクリックしてください）

N-119

左下

bottom left, lower left

画面、図面、パネルのような「平面状の物の左下」を表す用語としては、bottom leftとlower leftが区別なく用いられます。日本語の「左下」と同じ順序でleft bottomと言うこともできますが、下よりも左を先に意識させたほうが読み手が位置を理解しやすい場合を除き、bottom leftがより一般的に用いられます。

0472 To display the Start menu, click the Start button located on the **bottom left** [**lower left**] of the desktop.
（スタートメニューを表示するには、デスクトップの**左下**にあるスタートボタンをクリックしてください）

0473 The location of a drawing name shown on the **bottom left** [**lower left**] of the drawing can be changed by dragging it to a desired position.
（図面の**左下**に表示される図面の名称の場所は、任意の位置にドラッグすることで変更できます）

0474 The power socket of the apparatus is located in the **bottom left** [**lower left**] of its rear panel.
（その装置の電源ソケットは、背面パネルの**左下**に位置しています）

0475 A shown image can be enlarged by clicking the Enlarge button on the **bottom left** [**lower left**] of the image.
（表示された画像は、画像の**左下**の拡大ボタンをクリックすると拡大できます）

0476 The scale bar of a displayed map is shown on the **bottom left** [**lower left**] of the map.
（表示された地図の**左下**には、地図のスケールバーが表示されます）

N-120

表示

display, indication

「画面上のウインドウ、メニュー、メッセージ、画像、ボタン、アイコンなどの表示」には、displayが用いられます。それに対し、「7セグメントLEDディスプレイ上に英数字で示されるステータスの表示」や「LEDインジケータの点灯によるステータスの表示」を表す場合はindicationが用いられます。

画面上のウインドウなどの表示	display
7セグメントLEDディスプレイ上での英数字によるステータスの表示	indication
LEDインジケータの点灯によるステータスの表示	indication

画面上のウインドウなどの表示

0477 **Display** of a confirmation window is absolutely required to prevent a user from making unintended selections.
(確認ウインドウの**表示**は、ユーザーが意図しない選択をするのを避けるために不可欠です)

7セグメントLEDディスプレイ上での英数字によるステータスの表示

0478 The 7-segment display is used for the graphic **indication** of error codes with seven segments. (7セグメントディスプレイは、7つのセグメントを用いたエラーコードの図的な**表示**に使用されます)

LEDインジケータの点灯によるステータスの表示

0479 Occurrence of an error can be recognized through the **indication** of the Error LED indicator.
(エラーの発生は、Error LEDインジケータの**表示**によって知ることができます)

N-121

標本

sample, specimen

「標本」を表すsampleとspecimenは、厳密には、「全体の中から取り出して観察、調査を行う一部分」をsample、「全体を代表する一部分」をspecimenと使い分けることとされています。ただし、技術情報を伝える文脈において、そのような微妙なニュアンスの違いを意識して使い分けなければならないことは極めてまれであり、実際にはこの2つの単語は区別なく用いられます。

0480 The **sample [specimen]** management system eases **sample [specimen]** management and allows the user to promptly identify the storage place of a target **sample [specimen]**.
（その**標本**管理システムは、**標本**の管理を容易にし、ターゲットとする**標本**の保存場所を迅速に特定することを可能にします）

0481 The optical microscope can securely perform observation positioning for a **sample [specimen]** without being affected by the size and weight of the **sample [specimen]**.
（その光学顕微鏡は、**標本**の大きさや重さに影響されることなく、**標本**の観察位置合わせを確実に行うことができます）

0482 The **sample [specimen]** preparation device is capable of reducing the workload needed to clean a **sample [specimen]** cassette.
（その**標本**作製装置は、**標本**カセットの洗浄に要する手間を軽減できます）

0483 The **sample [specimen]** imaging device is able to securely detect a problem relating to the staining of a stained **sample [specimen]**.
（その**標本**撮像装置は、染色**標本**の染色に関する異常を確実に検出できます）

N-122

比率

proportion, rate, ratio

proportionが「全体に対する比率」を表す場合に用いられるのに対し、rateは「基準値に対する比率」を表すのに用いられます。また、ratioは「2つの数量の比率」を表す場合に用いられます。

全体に対する比率	proportion
基準値に対する比率	rate
2つの数量の比率	ratio

全体に対する比率

0484 In the energy saving mode, the brake increases the **proportion** of regenerative braking.
（省エネルギーモードでは、ブレーキは回生制動の**比率**を高めます）

基準値に対する比率

0485 The frequency of the first local oscillation signal converges to a certain **rate** of the frequency of the reference oscillation signal.
（第1局部発振信号の周波数は、基準発振信号の周波数に対する一定の**比率**に収束します）

2つの数量の比率

0486 The brake device is capable of adjusting the **ratio** of the front-wheel braking force and rear-wheel braking force to the determined **ratio**.
（そのブレーキ装置は、前輪制動力と後輪制動力の**比率**を所定の**比率**に調整することができます）

N-123

不具合

error, failure, fault, malfunction

「不具合」全般はproblemを用いて表すことができますが、不具合の種類を具体的に伝えるために、一般的には以下のように単語を使い分けます。

機械、機器、装置などの動作の不具合	failure, fault, malfunction
プログラムのバグに起因するソフトウエアの動作不良	error
プログラムのバグ以外に起因するソフトウエアの動作不良	failure, fault
データのやりとりにおける不具合	error, failure

機械、機器、装置などの動作の不具合

0487 If the device is exposed to a strong magnetic field, a **failure** [**fault** / **malfunction**] can occur on the device.
（強い磁場にさらされると、装置に**不具合**が生じる恐れがあります）

プログラムのバグに起因するソフトウエアの動作不良

0488 After the software was released, many **errors** were found.
（そのソフトウエアには、発売後に多くの**不具合**が見つかりました）

プログラムのバグ以外に起因するソフトウエアの動作不良

0489 A system **failure** [**fault**] occurs if the parameters are not set properly.（パラメータが正しく設定されないとシステムの**不具合**が生じます）

データのやりとりにおける不具合

0490 If a communication **error** [**failure**] occurs, the LED starts blinking.（通信の**不具合**が生じると、LEDは点滅を始めます）

N-124

符号

code, sign, symbol

「符号」を表す名詞には、code、sign、symbolがあります。「信号やデータを一定の規則に従って変換して得られた結果」を意味する場合にはcodeを用います。一方で、「正と負の数を表すプラス（+）とマイナス（–）の符号」を意味する場合にはsignとsymbolのいずれも用いることができますが、signのほうがはるかに一般的に用いられます。

信号やデータを一定の規則に従って変換して得られた結果	code
正と負の数を表すプラス（+）とマイナス（–）の符号	sign, (symbol)

信号やデータを一定の規則に従って変換して得られた結果

0491 The decoding circuit decodes digital information from **codes** received from the **code** buffer circuit.
（復号回路は、**符号**バッファ回路から渡された**符号**からデジタル情報を復号します）

0492 The encoder converts packet data into continuous **code** strings suitable for optical fiber transmission.
（その符号化器は、パケットデータを光ファイバー伝送に適した連続**符号**列に変換します）

正と負の数を表すプラス（+）とマイナス（–）の符号

0493 If the **sign** [**symbol**] of a torque command value is positive, the torque command value is changed down to zero following the attenuation pattern.
（もし、トルク指令値の**符号**が正であれば、トルク指令値は、減衰パターンに沿って0まで変化させられます）

N-125

部品

component, part

日本語で「部品」と称されるものすべてに対してpartを用いることができますが、その中でも「単独で機能するような部品」に対してはcomponentを用いるのが基本だとされています。ただし、単独で機能するかどうかの判断は難しいこともあり、実際にはこの2つの名詞はあまり厳密に区別せずに用いられます。

「部品」全般	part
単独で機能するような部品	component

「部品」全般

0494 The **part**-aligning device is capable of aligning **parts** in a short time without using a dedicated manipulator.
（その**部品**整列装置は、専用のマニピュレータを用いることなく、短時間で**部品**を整列させることができます）

0495 The small-**part** supply device can prevent the electrification of small **parts** in a carrier passage.
（その微小**部品**供給装置は、搬送路での微小**部品**の帯電を防止できます）

単独で機能するような部品

0496 The CPU is the most important **component** in a computer because the computer could not run software without it.
（コンピュータはCPUがないとソフトウエアを走らせられないため、CPUはコンピュータにおける最も重要な**部品**です）

0497 The main hardware **components** of a computer include a processor, a main memory, peripheral interfaces and buses.
（コンピュータの主なハードウエア**部品**は、プロセッサ、主記憶装置、周辺インターフェース、バスなどです）

N-126

部分

part, portion

「部分」を表す名詞にはpartとportionがあります。partは単に「全体の一部分」を表す場合に用い、portionは「全体から区分けられた部分」を表す場合に用いるのが基本とされています。しかし、実際には多くの英語のネイティブスピーカーが、本来portionを用いるべきところでpartも用いています。なお、partを用いて「AはBの一部分である」と述べる場合には、A is part of Bという形になり、partに形容詞(例:importantなど)が付かない限りは原則として不定冠詞のa/anが付かないことに注意してください。

全体の一部分	part
全体から区分けられた部分	portion

全体の一部分

0498 SMTP is **part** of the application layer of the TCP/IP protocol.
(SMTPは、TCP/IPプロトコルのアプリケーション層の**一部**です)

0499 The voice pickup system is an essential **part** of a voice recognition system used as a user interface for controlling a device.
(その音声ピックアップシステムは、装置を制御するためのユーザーインターフェースとして使用される音声認識システムの不可欠な**部分**です)

全体から区分けられた部分

0500 The housing has a front **portion** and a rear **portion**, and a cavity is present between the two **portions**.
(そのハウジングは、前方**部分**と後方**部分**を有し、その2つの**部分**の間には空洞が存在しています)

0501 The whole space is divided into several **portions** having different levels of brightness.
(そのスペース全体は、明るさのレベルが異なるいくつかの**部分**に分けられます)

N-127

分割

division, partition, split

「分割されて生じる個々の部分に意味のある分割」を表す場合には、divisionが広く用いられます。一方で、「ハードディスク、SSD、USBメモリなどの分割」にはpartitionが一般的に用いられます。splitは「何らかの力による強制的な分割」を意味する場合に多用されます。

分割されて生じる個々の部分に意味のある分割	division
ハードディスク、SSD、USBメモリなどの分割	partition
何らかの力による強制的な分割	split

分割されて生じる個々の部分に意味のある分割

0502 The file **division** program simplifies the **division** of file data composed of multiple clusters.
（そのファイル**分割**プログラムは、複数のクラスタで構成されるファイルデータの**分割**を簡易化します）

ハードディスク、SSD、USBメモリなどの分割

0503 When the **partition** of a hard disk is executed, all data stored on the disk are discarded.
（ハードディスクの**分割**を実行すると、そのディスクに保存されたすべてのデータが破棄されます）

何らかの力による強制的な分割

0504 The **split** and multiplexing of optical signals are performed by an optical splitter.
（光信号の**分割**と多重化は、光スプリッタによって行われます）

N-128

噴出

blowout, spout, spurt

「噴出」を表す名詞としてはblowout、spout、spurtが用いられます。「気体の噴出」にはblowoutが用いられるのに対し、「液体の噴出」にはspoutとspurtを区別なく用いることができます。

気体の噴出	blowout
液体の噴出	spout, spurt

気体の噴出

0505 When an arc is generated in the switch gear, the ventilation port is closed to prevent the **blowout** of high-temperature gas.
（スイッチギア内部でアークが発生すると、高温ガスの**噴出**を防止するために換気口が塞がれます）

0506 The lubricant-level height in the lubricating chamber is maintained by preventing the **blowout** of a refrigerant gas from the electric motor chamber to the lubricating chamber.
（電動機室から給油室への冷媒ガスの**噴出**を防止することで、給油室内の潤滑油の油面高さが維持されます）

液体の噴出

0507 The toner ejection force from the toner bottle is reduced to suppress the initial **spout** [**spurt**] of the toner from the bottle.
（トナーボトルからのトナーの初期の**噴出**を抑えるべく、トナーボトルからのトナー排出力が減少されます）

0508 The **spout** [**spurt**] of a flat tire sealant from the valve connection fitting is caused by incorrect operation.
（バルブ接続金具からのパンクシーリング剤の**噴出**は、誤操作によって引き起こされます）

N-129

分離

disconnection, separation

「分離」を表す一般的な名詞としては、separationが広く用いられます。また、「組み合わされた（組み込まれた）全体から元々1つの個体（ユニット）として存在するものを分離すること」を表す場合には、disconnectionも多用されます。

「分離」全般	separation
元々1つの個体（ユニット）として存在するものの分離	disconnection, separation

「分離」全般

0509 The ink tank can prevent the **separation** and sedimentation of pigment particles in pigment ink.
（そのインクタンクは、顔料インク中の顔料粒子の**分離**と沈降を防止できます）

0510 The **separation** of ester from the reaction mixture is performed through distillation under reduced pressure.
（反応混合物からのエステルの**分離**は、減圧蒸留によって行われます）

元々1つの個体（ユニット）として存在するものの分離

0511 When the **disconnection** [**separation**] of the keyboard from the main body is detected by the detection circuit, the arithmetic circuit is notified of it.
（キーボードの本体からの**分離**が検出回路により検出されると、その分離は演算回路へ通知されます）

0512 The optical fiber cable allows the **disconnection** [**separation**] of its optical fiber ribbon from its sheath.
（その光ファイバーケーブルは、光ファイバーリボンをシースから**分離**することができます）

N-130

分類

categorization, classification

「分類」を表す名詞としては、categorizationとclassificationを区別なく用いることができますが、classificationのほうがより一般的に用いられます。

0513 The **classification** [**categorization**] support map allows an appropriate **classification** [**categorization**] of unknown data regardless of the learning sequence of learning data.
（その**分類**支援マップは、学習データの学習の順番に関係なく、未知データの適切な**分類**を可能にします）

0514 The document **classification** [**categorization**] device calculates a score regarding a document **classification** [**categorization**] result and presents the score to a user in an intuitively understandable form.
（その文書**分類**装置は、文書**分類**結果のスコアを算出し、それを直感的に理解できる形で利用者に提供します）

0515 The camera automatically adds appropriate **classification** [**categorization**] information to images, based on information recognized at the time of photographing.
（そのカメラは、撮影の際に認識された情報に基づいて、適切な**分類**情報を画像に自動的に付加します）

0516 The **classification** [**categorization**] condition designation device sequentially designates multiple **classification** [**categorization**] conditions in accordance with the determined order.
（**分類**条件指定装置は、複数の**分類**条件を、決められた順序に従って順次指定します）

0517 The **classification** [**categorization**] determination module executes the **classification** [**categorization**] of information based on the similarity vector.
（その**分類**決定モジュールは、類似度ベクトルに基づいて情報の**分類**を実行します）

N-131

変換

conversion, transformation

「形状、性質、状態を全く別なものへと劇的に変換すること」を表す場合にはtransformationを用い、「性質や状態の、劇的とは言えない変換」を表す場合にはconversionを用いるのが基本だとされています。ただし、実際には多くの文脈で、この2つの単語はあまり厳密に区別せずに用いられます。

形状、性質、状態の劇的な変換	transformation
性質や状態の劇的とは言えない変換	conversion

形状、性質、状態の劇的な変換

0518 The **transformation** from the car to the plane is completed in 15 seconds after a button is pressed.
（車から飛行機への**変換**は、ボタンが押されて15秒以内に完了します）

0519 The **transformation** from an agricultural to an industrial nation must be achieved without environmental destruction.
（農業国から工業国への**変換**は、環境破壊を生じることなく成し遂げられなければなりません）

性質や状態の劇的とは言えない変換

0520 The wavelength converter has an excellent **conversion** efficiency and is able to perform rapid wavelength **conversion**.
（その波長変換器は波長**変換**効率がよく、高速な波長**変換**が可能です）

0521 The heat-electricity **conversion** element converts the heat of a radiator into electricity.
（その熱電**変換**素子は、ラジエータの熱を電気に変換します）

N-132

変形

deformation, distortion

「変形」を表す名詞としては、変形する物の様態や状態に関係なくdistortionが一般的に用いられます。それに対し、deformationは「何らかの個体の変形」を表す場合に多用されます。

「変形」全般	distortion
何らかの個体の変形	deformation, distortion

「変形」全般

0522 The electromagnetic flowmeter is capable of compensating the **distortion** of signals caused by a high-pass filter.
(その電磁流量計は、ハイパスフィルタによる信号の**変形**を補償できます)

0523 The **distortion** of waveforms and loss of signal transmission are reduced by providing a substrate with an air layer.
(波形の**変形**と信号伝送の損失は、プリント基板に空気層を設けることで減少します)

何らかの個体の変形

0524 The gripping fingers of semiconductor wafers are capable of minimizing the **deformation [distortion]** of gripped wafers.
(半導体ウエハーのグリップフィンガーは、掴んだウエハーの**変形**を最小に抑えることができます)

0525 The turbine housing is capable of suppressing any thermal **deformation [distortion]** of the outlet side from exhaust.
(そのタービンハウジングは、排気による出口側のどんな熱**変形**も抑制できます)

N-133

変更

alteration, change

「仕様、設計、設定、値、情報、レイアウト、計画などの変更」を表す名詞としては、changeが一般的に用いられます。しかし、変更が部分的であることを意識的に伝えたいが、changeではそれが明確にならないような場合には、partial changeといった複合語か、部分的な変更を1語で表すalterationを用いる必要があります。部分的な変更であっても、「～変更」、「変更～」のような用語の一部としては、changeのほうが一般的に用いられます。

仕様、設計、設定、値、情報、レイアウト、計画などの変更	change
部分的な変更	alteration

仕様、設計、設定、値、情報、レイアウト、計画などの変更

0526 The design support device enables designers to identify and check design **changes** immediately and accurately.
（その設計支援装置は、設計者が設計**変更**部分を迅速かつ正確に特定し、確認することを可能にします）

0527 On the image display device, a user can specify whether to save the setting **changes** for each setting item.
（その画像表示装置では、ユーザーは、設定項目ごとに**変更**内容を保存するかどうかを指定することができます）

部分的な変更

0528 The processor device can flexibly deal with the **alteration** of the specifications of a compatible endoscope.
（そのプロセッサ装置は、互換性のある内視鏡の仕様の（部分的な）**変更**に柔軟に対応することができます）

N-134

変動

fluctuation, variation

「電圧、電流、圧力、トルク、負荷、波長、水位などの変動」を表す名詞としては、fluctuationとvariationのどちらも多用されますが、fluctuationのほうがより一般的に用いられます。

0529 The alarm detection circuit is not susceptible to **fluctuations** [**variations**] in power supply voltage or ambient temperature.
（そのアラーム検出回路は、電源電圧や周囲温度の**変動**の影響を受けません）

0530 The fuel cell system is capable of minimizing the **fluctuation** [**variation**] of the pressure of oxidant gas supplied to a fuel cell.
（その燃料電池システムは、燃料電池に供給する酸化剤ガスの圧力の**変動**を最小限にすることができます）

0531 Excess **fluctuation** [**variation**] of the torque is detected based on the rotation rate of the internal combustion engine so that the **fluctuation** [**variation**] is suppressed.
（トルクの過大な**変動**が内燃機関の回転数に基づいて検出され、**変動**は抑制されます）

0532 The refrigerating device is capable of quickly and accurately controlling the temperature of a refrigerant in accordance with the **fluctuation** [**variation**] of the load of an object to be cooled.
（その冷蔵装置は、冷却対象の負荷の**変動**に応じて迅速かつ正確に冷媒の温度を制御できます）

0533 The gas dissolving apparatus is capable of easily responding to a **fluctuation** [**variation**] in water levels.
（その気体溶解装置は、水位の**変動**に容易に対応することができます）

N-135

方向

direction, orientation

「ある（地）点を基準とした方角、方向」を表す場合には、directionが用いられます。それに対し、画像、画面、用紙、アーム、コンポーネントなどの向きのように「基準（地）点を強く意識しない向き」という意味での「方向」を表す場合にはorientationが用いられます。

ある（地）点を基準とした方向	direction
基準（地）点を強く意識しない方向	orientation

ある（地）点を基準とした方向

0534 The photoreceptor gear can also move in the opposite **direction** of the paper feed **direction**.
（その感光体ギアは、用紙搬送**方向**の逆**方向**に移動することもできます）

0535 The **direction** of the airflow in an airplane is from top to bottom, not along the length of the airplane.
（飛行機内では、機体の長さに沿ってではなく上から下**方向**に空気が流れています）

基準（地）点を強く意識しない方向

0536 The image processor enables the memory capacity to be reduced even when the **orientation** of an image is changed.
（その画像処理装置は、画像の**方向**（向き）を変えた場合でも、メモリ容量の削減を可能にします）

0537 The **orientation** of the component is changed by rotating the chuck through the forward and backward movements of the arm.
（コンポーネントの**方向**（向き）は、アームの前後動を通してチャックを回転させることで変えられます）

N-136

放射

emission, radiation

「何らかのエネルギーの放射」、あるいは「エネルギーを有するものの放射」を表す名詞としては、emissionとradiationが区別なく用いられます。

0538 The transmission system minimizes the **emission [radiation]** of electromagnetic waves from a transmission cable.
（その伝送システムは、伝送ケーブルからの電磁波の**放射**を最小限に抑えます）

0539 The direction of the **emission [radiation]** of heat from the radiator plate changes in accordance with its displacement relative to the main body.
（放熱板からの熱の**放射**の方向は、本体に対する放熱板の変位に応じて変化します）

0540 The electron gun is capable of reducing the **emission [radiation]** of unneeded electrons coming from the first grid electrode.
（その電子銃は、第1グリッド電極からの不要な電子の**放射**を低減できます）

0541 The semiconductor device can suppress the increase in resistance and variation in the **emission [radiation]** angles of laser beams.
（その半導体装置は、抵抗の増加及びレーザー光の**放射**角のばらつきを抑制できます）

0542 The bulb-shaped fluorescent lamp uses lead-free glass for its bulb and suppresses the **emission [radiation]** of ultraviolet rays.
（その電球形蛍光ランプは、無鉛ガラスをバルブに用い、紫外線の**放射**を抑制します）

0543 The inverter device is capable of effectively suppressing the **emission [radiation]** of noise.
（そのインバータ装置は、ノイズの**放射**を効果的に抑制できます）

N-137

膨張

expansion, inflation

「気体の膨張」あるいはバルーンの膨張のような「内部の気体の膨張により生じる膨張」を表す名詞としては、expansionとinflationのどちらも用いられますが、どちらかと言えばexpansionのほうがより多く用いられます。「固体、液体の膨張」を表す場合にはexpansionを用います。

気体の膨張、内部の気体の膨張によって生じる膨張	expansion, inflation
固体、液体の膨張	expansion

気体の膨張、内部の気体の膨張によって生じる膨張

0544 The pedestal suppresses explosions caused by gas **expansion** [**inflation**] and also by contamination caused by particles.
（ペデスタルは、ガスの**膨張**による爆発及び粒子による汚染を抑制します）

0545 The endoscope system allows the user to easily control the **expansion** [**inflation**]/contraction velocity of a balloon.
（その内視鏡装置は、バルーンの**膨張**／収縮速度の制御を容易にします）

固体、液体の膨張

0546 The heat exchanger can prevent cells from being damaged by the **expansion** of a hydrogen absorbing metal.
（その熱交換器は、水素吸蔵金属の**膨張**によるセルの破損を防止できます）

0547 The device is capable of accurately measuring liquid tightness by preventing the **expansion** and contraction of liquid in a metering pipe.
（その装置は計量管内での液の**膨張**と収縮を防ぎ、液密度を精度よく測定できます）

N-138

保証

assurance, guarantee, warranty

assuranceは、「～であることを受け合う」という広い意味での「保証」全般を表す名詞です。guaranteeは「製品やサービスに問題が生じた場合の補償について約束をすること」、warrantyはその「補償内容を契約として保証書などに明記し保証すること」を意味する「保証」を表します。

「保証」全般	assurance
補償について約束をすること	guarantee
補償内容を契約として明記し保証すること	warranty

「保証」全般

0548 The development application program can accurately perform quality **assurance** in terms of the development of built-in software.
（その開発アプリケーション・プログラムは、組み込みソフトウエアの開発において、精度よく品質**保証**を行うことができます）

補償について約束をすること

0549 Generally, online shopping sites have laid down rules about the **guarantee** of goods, pertaining to their return.
（一般的に、オンラインのショッピングサイトは、商品の返品における商品の**保証**に関するルールを定めています）

補償内容を契約として明記し保証すること

0550 The **warranty** of the product does not cover defects attributed to the occurrence of natural disasters.
（自然災害の発生に起因する故障は、その製品の**保証**の対象外です）

N-139

保存

preservation, save, storage

「食品、医薬品、試料、材料、原料などの保存」を表す名詞としては、preservationとstorageが区別なく用いられます。「ファイル、データ、情報、画像、設定などの保存」を表す場合にはstorageとsaveが用いられますが、どちらかと言えばstorageのほうが多く用いられます。「環境、景観、建物などの保存」にはpreservationが一般的に用いられます。

食品、医薬品、試料、材料、原料などの保存	preservation, storage
ファイル、データ、情報、画像、設定などの保存	storage, save
環境、景観、建物などの保存	preservation

食品、医薬品、試料、材料、原料などの保存

0551 The apparatus enables the prolonged **preservation** [storage] of food products.
（その装置は、食品の長期**保存**を可能にします）

ファイル、データ、情報、画像、設定などの保存

0552 The server transmits a completion report when the reading and **storage** [save] of specified data are completed.
（そのサーバは、指定されたデータの読み込みと**保存**が完了すると、完了報告を送信します）

環境、景観、建物などの保存

0553 The wind power project is aimed at maintaining a stable supply of electric power as well as the **preservation** of the natural environment.（その風力発電プロジェクトは、電力の安定供給の維持と自然環境の**保存**を目的としています）

N-140

右上

top right, upper right

画面、図面、パネルのような「平面状の物の右上」を表す用語としては、top rightとupper rightが区別なく用いられます。日本語の「右上」と同じ順序でright topと言うこともできますが、上よりも右を先に意識させたほうが読み手が位置を理解しやすい場合を除き、top rightがより一般的に用いられます。

0554 The five LEDs located in the **top right** [**upper right**] of the front panel of the machine indicate its current running status.
（マシンの前面パネルの**右上**にある5個のLEDは、マシンの現在の稼働状態を示します）

0555 The margin at the **top right** [**upper right**] of a synthetic image allows the user to write down a memo.
（合成写真の**右上**にある余白に、ユーザーはメモを書き込むことができます。）

0556 The screen shows all setting items on the left pane and their corresponding selections at the **top right** [**upper right**].
（その画面は、すべての設定項目を左ペインに表示し、対応する選択肢を**右上**に表示します）

0557 The power input connector is located in the **top right** [**upper right**] of the rear panel.
（電源コネクタは、背面パネルの**右上**に配置されています）

0558 To close the dialog box, click the X button at the **top right** [**upper right**] of the window.
（ダイアログボックスを閉じるには、ウインドウの**右上**にあるXボタンをクリックしてください）

0559 The power switch is located in the **top right** [**upper right**] of the wireless keyboard.
（電源スイッチは、ワイヤレスキーボードの**右上**に位置しています）

N-141

右下

bottom right, lower right

画面、図面、パネルのような「平面状の物の右下」を表す用語としては、bottom rightとlower rightが区別なく用いられます。日本語の「右下」と同じ順序でright bottomと言うこともできますが、下よりも右を先に意識させたほうが読み手が位置を理解しやすい場合を除き、bottom rightがより一般的に用いられます。

0560 The time zone indicator is shown on the **bottom right** [**lower right**] of the calendar.
（タイムゾーンインジケータは、カレンダーの**右下**に表示されます）

0561 The pilot lamp located in the **bottom right** [**lower right**] of the operation panel indicates the hydraulic state on the engine.
（操作パネルの**右下**にあるパイロットランプは、エンジンの油圧の状態を示しています）

0562 The trash can is located on the **bottom right** [**lower right**] of the workspace.
（ごみ箱は、ワークスペースの**右下**に配置されています）

0563 By default, the sub-window can be extended from the specified position to the **bottom right** [**lower right**] of the window.
（デフォルト設定では、サブウインドウは指定された場所からウインドウの**右下**まで広げることができます）

0564 The Slide Show button is located on the **bottom right** [**lower right**] of the screen.
（スライドショーのボタンは、画面の**右下**に配置されています）

0565 Information about the current status of the apparatus is shown on the **bottom right** [**lower right**] of the display.
（装置の現在の状態についての情報が、ディスプレイの**右下**に表示されます）

N-142

目的

aim, objective, purpose

aimは「何かをすることを通して達成したい目的」を表す場合に用い、purposeは「すでに始めていることにおいて達成したい目的」を表す場合に用いるのが基本とされています。しかし、実際にはこれら2つの単語はあまり厳密に区別せずに用いられます。一方、objectiveは「企業、組織、団体などの内部での決定に基づく、計画的に進めることで達成できる目的」を表す場合に用いられます。

何かをすることを通して達成したい目的	aim
すでに始めていることにおいて達成したい目的	purpose
組織が計画的に進めることで達成できる目的	objective

何かをすることを通して達成したい目的

0566 The **aim** of this software is to enable the user to quickly calculate the number of people in a crowd.
（このソフトウエアの**目的**は、群衆の人数を素早くカウントできるようにすることです）

すでに始めていることにおいて達成したい目的

0567 The **purpose** of this activity is for the engineers to improve their communication and presentation skills.
（このアクティビティの**目的**は、エンジニアがコミュニケーションとプレゼンテーションの能力を向上させることです）

組織が計画的に進めることで達成できる目的

0568 The **objective** of this development project is to produce the best electron microscope in the world.
（この開発プロジェクトの**目的**は、世界で最も優れた電子顕微鏡を作ることです）

N-143

文字

character, letter

「文字」を表す名詞としては、characterとletterが多くの文脈で区別なく用いられます。ただし、日本語の漢字、ひらがな、カタカナといった文字種を表す用語としては、letterよりもcharacterがより一般的に用いられ、「文字～」のような専門用語の一部として使用される場合も、characterがより多く用いられます。また、letterは主にアルファベットの文字のみを表すのに対し、characterはピリオド(.)、カンマ(,)をはじめとしたパンクチュエーションやプラス(+)、マイナス(-)といった符号、そして数字も含まれる用語であることから、それらもひっくるめて「文字」であるととらえた文脈ではcharacterのみが用いられます。

0569 As each **character** [**letter**] of a name is typed in, 8-bit information is sent from the keyboard to the microcomputer memory.
(名前の**文字**が1文字タイプされるたびに、マイクロコンピュータのメモリに8ビットの情報が送られます)

0570 When the Spell button is clicked, each **character** [**letter**] of the word is read aloud.
(Spellボタンがクリックされると、単語の各**文字**が読み上げられます)

0571 The program automatically converts input **hiragana characters** into **katakana characters**.
(そのプログラムは、入力されたひらがな(の**文字**)をカタカナ(の**文字**)へ自動的に変換します)

0572 The password must include at least eight **characters** and cannot be the same as the user name.
*アルファベット以外の文字も念頭に置いた文脈です。
(パスワードは、最低8**文字**を含む必要があり、また、ユーザー名と同じものにはできません)

N-144

要求

demand, request, requirement

「応じるかどうかの判断を相手（要求される側）にゆだねる要求」にはrequestを用います。それに対し、「社会的な要因などにより応じざるを得ない強い要求」はdemandで表現します。requirementは「物事の達成や実行のために満たすべき条件」という意味合いの「要求」を表します。

応じるかどうかの判断を相手にゆだねる要求	request
社会的な要因などにより応じざるを得ない強い要求	demand
物事の達成や実行のために満たすべき条件	requirement

応じるかどうかの判断を相手にゆだねる要求

0573 Several new functions will be added to the next model in response to market **requests**.
（市場の**要求**に応じるべく、次期モデルにはいくつかの新しい機能が加えられるでしょう）

社会的な要因などにより応じざるを得ない強い要求

0574 In response to client **demand**, a patch program will be released shortly to fix the existing problems.
（顧客の**要求**に応えて、現存する問題を修復するパッチプログラムがすぐにリリースされるでしょう）

物事の達成や実行のために満たすべき条件

0575 Many **requirements** must be satisfied to break into a new market.
（新しい市場に参入するには、多くの**要求**を満たさなければなりません）

N-145

落下

drop, dropping, fall, falling

技術情報を伝える文脈において、「落下」は「ある主体からの落下」と「ある主体自体の落下」の2つの意味で用いられます。dropとfallはどちらの意味でも区別なく用いることができます。dropとfallは動名詞の形でも「落下」を意味する名詞として用いられることがあり、その場合は「ある主体からの落下」であればdropping、「ある主体自体の落下」であればfallingを用います。ただし、どちらの意味での落下なのかが明確でない文脈では、droppingとfallingは区別なく用いられます。

ある主体からの落下	drop, dropping, fall
ある主体自体の落下	drop, fall, falling

ある主体からの落下

0576 The malfunction of the machine was attributed to the **drop** [**fall** / **dropping**] of its loose screws.
（そのマシンの不具合は、緩んだネジの**落下**に起因するものでした）

0577 The cargo **drop** [**fall** / **dropping**] prevention device is used to prevent damage to the cargo.
（その貨物**落下**防止装置は、貨物の損傷を防ぐのに用いられます）

ある主体自体の落下

0578 Every elevator must have a safety system to prevent any accidental **drop** [**fall** / **falling**] of its cage.（すべてのエレベータは、偶発的な**落下**を防ぐ安全システムを有しなければいけません）

0579 A new ceiling **drop** [**fall** / **falling**] prevention technology was adopted to prevent buildings' ceilings from collapsing during a massive earthquake.（巨大地震の際に建物の天井の崩壊を防ぐべく、新しい天井**落下**防止技術が採用されました）

N-146

理解

comprehension, understanding

「理解」には、「思考を働かせる必要のある理解」と、「思考を働かせる必要のない理解」があります。comprehensionは「思考を働かせる必要のない理解」を表す場合にのみ用いられるのに対し、understandingはどちらの意味の場合にも用いることができます。

思考を働かせる必要のある理解	comprehension, understanding
思考を働かせる必要のない理解	understanding

思考を働かせる必要のある理解

0580 The graphic display controller facilitates the **comprehension** [**understanding**] of the relationship between a graphic chart and its corresponding function expression.（その図形表示制御装置は、グラフ図形とそれに対応する関数式との関係の**理解**を助けます）

0581 The new display method eases the **comprehension** [**understanding**] of the structure, meaning and format of hierarchical data.（その新しい表示方法は、階層構造を持つデータの構造、意味、形式の**理解**を容易にします）

思考を働かせる必要のない理解

0582 The program enables the intuitive **understanding** of a delay analysis result regarding an analysis-target circuit（そのプログラムは、解析対象回路における遅延解析結果の直感的な**理解**を可能にします）

0583 The intuitive **understanding** of gene expression information largely depends on the visibility of information on the screen.（遺伝子発現情報の直観的な**理解**は、画面上の情報の視認性によって大きく左右されます）

N-147

流出

leakage, outflow

leakageが「情報やデータの流出」を表す名詞として用いられるのに対し、outflowは「液体や気体の流出」あるいは「技術、資本、資源、物質、人材などの流出」を表す名詞として用いられます。なお、液体や気体の「漏出」を表す場合には、leakageが一般的に用いられます。

情報やデータの流出	leakage
液体や気体の流出	outflow
技術、資本、資源、物質、人材などの流出	outflow

情報やデータの流出

0584 The medical image display device effectively prevents any **leakage** of personal information.
（その医用画像表示装置は、個人情報のいかなる**流出**も効果的に防ぎます）

液体や気体の流出

0585 The hot-water storage tank has a mechanism to prevent the **outflow** of liquid if the tank turns over.
（その温水タンクは、転倒時に液体の**流出**を防ぐメカニズムを備えています）

技術、資本、資源、物質、人材などの流出

0586 Some high-tech companies value domestic production to prevent the overseas **outflow** of their technologies.
（ハイテク企業の中には、自社技術の海外への**流出**を防ぐために、国内生産を重視している企業があります）

N-148

流量

flow rate, flow volume

「液体や気体の流量」を表す用語としてはflow rateとflow volumeのどちらも用いることができますが、flow rateのほうがより一般的に用いられます。flow rateは、flow volumeとは異なり、「情報、データ、信号などの流量」を表す用語としても用いられます。

液体や気体の流量	flow rate, flow volume
情報、データ、信号などの流量	flow rate

液体や気体の流量

0587 The measuring instrument measures the **flow rate** [**flow volume**] of washing water flowing in the water feed line to the washing tank.
（その測定器は、洗浄タンクへの給水ラインを流れる洗浄水の**流量**を測定します）

0588 The **flow rate** [**flow volume**] controller is equipped with a control valve that regulates the **flow rate** [**flow volume**] of air.
（その**流量**制御装置は、空気の**流量**を制御する調節弁を備えています）

情報、データ、信号などの流量

0589 To prevent a processing delay at the central server, the **flow rate** of the journal data to be sent to the server is controlled.
（センターサーバでの処理の遅延を防ぐため、センターサーバへ送信されるジャーナルデータの**流量**が制御されます）

0590 When a sudden increase in the **flow rate** of control signals is predicted, the determined delay is assigned to individual terminals.
（制御信号の**流量**の突発的な上昇が予見されると、所定の遅延が各端末に付与されます）

N-149

量

amount, quantity, volume

「数えられない固体、液体、気体、エネルギーなどの量」あるいは「情報、データ、信号などの量」を表す名詞としては、amount、quantity、volumeを区別なく用いることができます。「音の量（音量）」には、一般的にvolumeのみが用いられます。なお、quantityは、amount、volumeとは異なり、数えられる固体の数量を表す場合にも用いられます。

数えられない固体、液体、気体、エネルギーなどの量	amount, quantity, volume
情報、データ、信号などの量	amount, quantity, volume
音の量（音量）	volume

数えられない固体、液体、気体、エネルギーなどの量

0591 The dust sensor detects the **amount [quantity / volume]** of dust by emitting light and then detecting the scattered lights.
（ダストセンサーは光を照射し、その散乱光を検出することにより、粉塵の**量**を検出します）

情報、データ、信号などの量

0592 The system can transmit and receive all information regardless of the **amount [quantity / volume]** of information.
（そのシステムは、情報の**量**を問わず、すべての情報を送受信できます）

音の量（音量）

0593 The loudspeaker **volume** control unit notifies the sound controller of the **volume** designated by the user.
（スピーカー**音量**制御部は、ユーザーから指定された**音量**をサウンドコントローラに通知します）

N-150

領域

area, field

areaは「場所」と「分野」のどちらの意味の「領域」を表す場合にも用いられます。それに対し、fieldは「分野」という意味の「領域」を表す場合にのみ用いられ、「分野」を表す文脈においてはareaよりも多用されます。

場所を意味する領域	area
分野を意味する領域	field, area

場所を意味する領域

0594 The image processing device divides a target image into multiple **areas** and sets at least one of these **areas** as a local **area**.
（その画像処理装置は対象画像を複数の**領域**に分割し、それらの**領域**のうちの少なくとも1つを局所**領域**として設定します）

0595 Voltage is applied to an arbitrary **area** and to the rest at the ratio of 3:1.
（電圧は、任意の領域とそれ以外の**領域**へ3:1の比率で印加されます）

分野を意味する領域

0596 The ethanol composition has also been used in the **field** [**area**] of medicine due to its effective antibacterial actions.
（エタノール組成物は有効な抗菌作用をもつことから、医療の**領域**でも使用されています）

0597 This onium salt is usable as an electrolytic required in the **field** [**area**] of electrochemistry.
（このオニウム塩は、電気化学の**領域**で求められる電解質として利用することができます）

動詞編

「動詞編」では、技術情報を伝える文脈で頻繁に用いられる100の日本語の動詞に対応する英語が、実際にどのように使い分けられているのかを紹介します。

V-001

圧縮する（～を圧縮する）

compact, compress

圧縮するものがデータ（ファイル）なのか気体、固体、液体なのかで、単語を以下のように使い分けます。「データ（ファイル）を圧縮する」場合はcompressとcompactのいずれも用いることができますが、compressのほうがより一般的に用いられます。

データ（ファイル）を圧縮する	compress, compact
気体、固体、液体を圧縮する	compress

データ（ファイル）を圧縮する

0598 Multimedia data **are compressed** [**compacted**] before being stored or transmitted.
（マルチメディアデータは、保存または送信される前に**圧縮されます**）

0599 CSS files **are compressed** [**compacted**] before being sent to the browser.
（CSSファイルは、ブラウザに送られる前に**圧縮されます**）

気体、固体、液体を圧縮する

0600 During the process, the air **is compressed** to 28 percent of its original volume.
（工程において、空気は元の容量の28％まで**圧縮されます**）

0601 When the pump is turned on, the nitrogen **is compressed** to the maximum pressure in the system.
（ポンプの電源が入ると、窒素は、システム内で最大圧力まで**圧縮されます**）

V-002

移動する（～が移動する）（～を移動させる）

move, shift

「ある地点から別の地点への移動」を表す場合には、moveとshiftのどちらも用いることができます。それに対し、「物の移動」を表す場合にはmoveを用います。

地点間の移動	move, shift
物の移動	move

地点間の移動

0602 While the table **is moving** [**shifting**], be careful not to get your hands caught in it.
（テーブルが**移動している**間、手を挟まれないように注意してください）

0603 To **move** [**shift**] to the parameter setting screen, select "Config" at the bottom right of the screen.
（パラメータ設定画面に**移動する**には、画面右下の「Config」を選んでください）

物の移動

0604 Before **moving** the machine, turn off the power and disconnect the power cable.
（機械を**移動させる**前に、電源を切って電源ケーブルを外してください）

0605 To prevent the apparatus from accidentally **moving**, be sure to lock the stoppers on the bottom.
（装置が不意に**移動し**ないよう、底面のストッパーを必ずロックしてください）

V-003

動く（～が動く）

move, run, travel

moveは「物の位置が動く」という意味で一般的に用いられますが、「ガイドや溝などに沿って動く」場合にはtravelも多用されます。一方、runは「機械、機器、装置などが稼働する」という意味で用いられます。ちなみに、「電車、車などの乗り物が動く」と言いたい場合は、moveとrunのどちらも多用されます。

物の位置が動く	move
ガイドや溝などに沿って動く	move, travel
機械、機器、装置などが稼働する	run

物の位置が動く

0606 The three-dimensional model **moves** in accordance with the motions of an object being shot.
（3次元モデルは、撮影されている対象物の動きに応じて**動きます**）

ガイドや溝などに沿って動く

0607 The actuation piston arranged in the cylinder **moves** [**travels**] along the longitudinal guide.
（シリンダー内に配置されたアクチュエーションピストンは、長手方向のガイドに沿って**動きます**）

機械、機器、装置などが稼働する

0608 This machine can keep **running** without drawing energy from an external power source.
（この機械は、外部電源からエネルギーを得ることなく**動き**続けることができます）

V-004

影響する（～に影響する）

affect, influence

「何かに対して能動的に影響を及ぼす」場合にはinfluenceを用い、「ある行い、作用などの結果として何かに受動的な影響をもたらす」ことになる場合にはaffectを用いるのが基本だとされています。ただし、実際には多くの英語のネイティブスピーカーが、この2つの単語をあまり厳密に区別せずに用いています。

能動的な影響を及ぼす	influence
受動的な影響をもたらす	affect

能動的な影響を及ぼす

0609 The placement of buttons on a device largely **influences** the ease of its operation.
（装置上のボタンの配置は、装置の操作性に大きく**影響します**）

0610 The expansion of online education **has** greatly **influenced** people's way of learning.
（オンライン教育の拡がりは、人々の学習の仕方に大きく**影響しています**）

受動的な影響をもたらす

0611 An excess intake of protein can adversely **affect** physical conditions.
（プロテインの過剰摂取は、身体の状態に悪い**影響を及ぼす**可能性があります）

0612 Global warming **has affected** the majority of the world's glaciers.
（地球温暖化は、世界の氷河の大半に**影響を及ぼしています**）

V-005

応答する（～に応答する）

acknowledge, reply, respond

何に対して応答するのかによって、以下のように単語を使い分けます。「問い合わせ、クレームなどに応答する」場合は、replyとrespondを区別なく用いることができます。

送信されたコマンドを受信したことを伝えるために応答する	acknowledge
問い合わせ、クレームなどに応答する	reply, respond
その時点の状況、事象に対して応答する	respond

送信されたコマンドを受信したことを伝えるために応答する

0613 The timeout applies when the client or server is expected to **acknowledge** or send data.
（クライアントあるいはサーバが**応答**やデータ送信を求められる際、タイムアウトが適用されます）

問い合わせ、クレームなどに応答する

0614 The robot is capable of properly **replying** [**responding**] to questions from users because of its artificial intelligence functions.
（そのロボットは、AI機能によって、ユーザーからの質問に対して適切に**応答する**ことができます）

その時点の状況、事象に対して応答する

0615 Nerve cells not only **respond** to external signals but also have an internal control system.
（神経細胞は、外部の信号に対して**応答する**のみならず、内部にコントロールシステムを有しています）

V-006

終える（～を終える）

end, finish

多くの文脈で、endとfinishが区別なく用いられます。しかし、操作、運転、点検、調節、試験など、「現在行っているアクションを終える」場合や、プロジェクト、タスク、イベントなど「予定、計画していた内容を最後までやり終える」場合にはfinishが用いられます。

「～を終える」全般	end, finish
現在行っているアクションを終える	finish
予定、計画していた内容を最後までやり終える	finish

「～を終える」全般

0616 The user can **end** [**finish**] a virtual tour at any time by pressing the End button on the operation panel.
（ユーザーは、操作パネル上のEndボタンを押すことで、いつでもバーチャルのツアーを終えることができます）

現在行っているアクションを終える

0617 After **finishing** the operation of the machine, do not forget to switch off its main power supply.
（マシンの運転を終えたあとに、主電源をオフにするのを忘れないでください）

予定、計画していた内容を最後までやり終える

0618 The new support tool helped the team **finish** the development project in a shorter period of time than originally planned.
（その新しい支援ツールは、チームが開発プロジェクトを、当初の計画よりも短い期間で終えるのに役立ちました）

V-007

覆う（～を覆う）

cover, encompass

cover は「上、下、あるいは横から対象箇所を覆う」という意味で用いられます。それに対し、encompass は「全体を取り囲むように覆う」という意味で用いられます。

上、下、あるいは横から対象箇所を覆う	cover
全体を取り囲むように覆う	encompass

上、下、あるいは横から対象箇所を覆う

0619 The box cover is attached onto the seating so that the components of the laser apparatus on the seating **is covered** from above.
（そのボックスカバーは、台座上のレーザー装置の構成部品を上から**覆う**ように台座に取り付けられます）

0620 The lower member is formed so as to **cover** the evaporator from underneath and has a drain part for draining condensed water.
（その下側部材は、蒸発器を下から**覆う**ように形成され、凝縮水を排水するドレン部を有しています）

全体を取り囲むように覆う

0621 The core wires made of aluminum-based materials **are encompassed** by insulation coating.
（アルミニウム系材料からなる芯線は、絶縁性被覆で**覆われています**）

0622 An insulation housing **encompasses** a fuse and over-voltage protection component as well as the first, second and third conductive components.
（絶縁ハウジングが、ヒューズ、過電圧保護部品に加え、第1、第2、第3の伝導部品を**覆っています**）

V-008

置く（～を置く）

place, put

placeとputは、どちらも「置く」という意味を伝える一般的な動詞として多用されていますが、placeにはputにはない「気をつけて」、「慎重に」といったニュアンスが含まれているとされています。従って、置く際に相応の注意が求められる場合、また「設置する」という意味を表す場合には、原則としてplaceを用いる必要があります。ただし、実際には多くの英語のネイティブスピーカーが、この2つの単語をあまり厳密に区別せずに用いています。

「～を置く」全般	place, put
注意して置く、設置する	place

「～を置く」全般

0623 The medical imaging apparatus allows a subject to comfortably keep **placing [putting]** his/her arms on its armrests.
（その医用撮像装置では、被験者は腕をアームレストに楽に**置き**続けることができます）

注意して置く、設置する

0624 The robotic-hand device holds a target object with a robot hand and accurately **places** it at a specified position.
（そのロボットハンド装置は、ロボットハンドでターゲットの物体を把持し、所定の位置に正確に**置きます**）

0625 The switch box can **be placed** at any location on the table of the electric binder due to a magnet attached to the bottom of the box.
（そのスイッチボックスは、底面に取り付けられている磁石によって、電動結束機のテーブル上の任意の場所に**置く**ことができます）

V-009

押す（～を押す）

press, push

「押す」という意味で用いるpressとpushは、多くの文脈で相互に置き換え可能です。ただし、「押し付ける」という意味の場合はpressが用いられ、「押して動かす」場合にはpushが用いられるという違いがあります。実際には、そうした違いを意識して使い分ける必要のない文脈やどちらとも判別できない文脈が非常に多く、そうした場合にはこの2つの動詞は区別なく用いられます。

押し付ける	press
押して動かす	push

押し付ける

0626 When the lateral face of the lens **is pressed** by the adjusting pins, the lens is kept against the receiving surface by an induced force.
（レンズの側面が調整ピンで**押される**と、生じた力でレンズが受け面に対して保持されます）

0627 When an extreme pressure is applied to the blade by the driving unit, the substrate **is pressed** by the blade and is warped.
（駆動部によって極度の圧力がブレードに加えられると、基板はブレードによって**押され**、たわんでしまいます）

押して動かす

0628 The support member **is pushed** upward with a predetermined force by the push-up mechanism.
（その支持部材は、押し上げ機構によって、所定の力で上方へ**押されます**）

0629 The extension force of the bellows **pushes** the valve element to the upstream side to cancel the pressure applied to the upstream side.
（ベローズ伸長力は、弁体を上流側へ**押し**、上流側に加わる圧力を相殺します）

V-010

汚染する（～を汚染する）

contaminate, pollute

空気、海、川など「環境に関わるものを汚染する」のか、「環境に必ずしも関わらないものを汚染する」のかによって、polluteとcontaminateを使い分けます。ただし、実際にはこの2つの単語は、多くの文脈においてあまり厳密に区別せずに用いられます。

環境に関わるものを汚染する	pollute
環境に必ずしも関わらないものを汚染する	contaminate

環境に関わるものを汚染する

0630 The Caspian Sea **has been polluted** by oil leakages and the dumping of inadequately treated sewage.
（カスピ海は、油の流出及び不適切に処理された汚物の投棄によって**汚染されています**）

0631 Several percent of the agricultural land **has been polluted** through the improper use of pesticides and chemical fertilizers.
（農業用地の数パーセントは、農薬と化学肥料の不適切な使用によって**汚染されています**）

環境に必ずしも関わらないものを汚染する

0632 Foods can **be contaminated** by bacteria such as Escherichia coli, salmonella and staphylococcus aureus.
（食品は、大腸菌、サルモネラ属、黄色ブドウ球菌などのバクテリアによって**汚染される**可能性があります）

0633 The substrate processing apparatus is capable of preventing a substrate from **being contaminated** after the cleaning of its rear surface.（その基板処理装置は、基板の裏面の洗浄後に基板が**汚染される**のを防ぐことができます）

V-011

開始する（～が開始する）（～を開始する）

begin, initiate, start

「～が開始する」、「～を開始する」を表す動詞としては、begin、initiate、start を区別なく用いることができます。後ろに動作を続けて「～することを開始する（し始める）」と言いたい場合は、「begin + to 不定詞」または「start + to 不定詞」とするか、「begin + -ing」、「start + -ing」の形にします。

0634 The sequence **begins** [**initiates** / **starts**] when the user first touches the touchscreen.
（ユーザーが最初にタッチ画面にタッチすると、シーケンスは**開始します**）

0635 The RUN LED on the front panel lights up when the operation of the machine **is begun** [**initiated** / **started**].
（機械の運転が**開始されると**、前面パネルの RUN LED が点灯します）

0636 When the reception of data **is begun** [**initiated** / **started**], the signal falls to “0” and then immediately becomes “1.”
（データの受信が**開始されると**、信号は0に落ち、そしてすぐに1になります）

0637 Before **beginning** [**starting**] **to use** the product, read through the instruction manual carefully.
＊後ろに to 不定詞を続けています。
（製品の使用を**開始する**前に、取扱説明書によく目を通してください）

0638 When the server receives the RESV command, the application **begins** [**starts**] **transmitting** data to the client.
＊後ろに -ing を続けています
（サーバが RESV コマンドを受信すると、アプリケーションはクライアントへのデータの送信を**開始します**）

V-012

回転する（～が回転する）（～を回転させる）

rotate, spin, turn

「回転する」という意味の動詞は、以下のように使い分けるのが基本です。ただし、実際には多くの英語のネイティブスピーカーが、「軸が回転する／軸を回転させる」、「軸を中心に回転する／させる」場合にはrotateとturnを、「軸を中心に素早くクルクル回転する／させる」場合にはspinとrotateを、それぞれ区別なく用います。

軸が回転する／軸を回転させる、軸を中心に回転する／させる	rotate
軸を中心に素早くクルクル回転する／させる	spin
大きくくるりと回転する／させる	turn

軸が回転する／軸を回転させる、軸を中心に回転する／させる

0639 The speed at which the shaft of an AC motor **rotates** is proportional to the frequency of the AC supply to the motor.
（ACモーターの軸が**回転する**速度は、モーターへ供給されるACの周波数に比例します）

軸を中心に素早くクルクル回転する／させる

0640 An electron **spins** around its axis and has both angular momentum and orbital angular momentum.
（電子は軸の周りを**回転し**、角運動量と軌道角運動量の両方を有します）

大きくくるりと回転する／させる

0641 The moon **turns** around the earth in 27 days, seven hours and 4.3 minutes.
（月は地球の周りを、27日7時間4.3分かけて**回転します**）

V-013

回復する（〜が回復する）（〜を回復させる）

recover, restore

ダウンしたシステムのような「正常ではない状態からの回復」を表す場合にはrecoverが用いられます。それに対し、現在の状態の良し悪しに関わらず「元の（前の）状態に回復させる」場合にはrestoreが用いられます。recoverは目的語をとらない自動詞、目的語をとる他動詞のどちらの用法もありますが、restoreは他動詞としてのみ用います。

正常ではない状態からの回復	recover
元の（前の）状態に回復させる	restore

正常ではない状態からの回復

0642 When a failure occurs, the system can **be recovered** up to the point where the last full backup was performed.
（不具合が生じた際、システムは最後に完全なバックアップが行われたポイントまで**回復**できます）

0643 When the primary host **is recovered** from a failure, it is automatically assigned as the standby system.
（プライマリホストが不具合から**回復する**と、ホストは自動的にスタンドバイシステムとして指定されます）

元の（前の）状態に回復させる

0644 The previous status can **be restored** by clicking the Undo Changes button.
（Undo Changesボタンをクリックすることで、前の状態に**回復**できます）

0645 When the default screen **is restored**, the settings return to their factory defaults.
（デフォルトの画面が**回復する**と、設定は工場出荷前の状態に戻ります）

V-014

拡大する（～が拡大する）（～を拡大する）

enlarge, magnify

「物自体の拡大」なのか、拡大鏡などを用いた「見かけ上の拡大」なのかによって、使用すべき単語は異なります。ただ、実際には多くの文脈でenlargeとmagnifyがあまり厳密に区別せずに用いられます。また、「画面上での拡大」の場合にも、この2つの単語を同じように用いることができます。

物自体の拡大	enlarge
見かけ上の拡大	magnify
画面上での拡大	enlarge, magnify

物自体の拡大

0646 When the liver **is enlarged**, it is usually felt at the upper right of the abdomen, just below the ribs.
（肝臓が**肥大する**と、通常、肋骨のすぐ下の腹部の右上にそれが感じられます）

見かけ上の拡大

0647 On a microscope, the image of the object under inspection **is magnified** and projected onto the eyepiece.
（顕微鏡において、検査対象物の画像は**拡大されて**接眼レンズへ投影されます）

画面上での拡大

0648 Basically, the application needs to create new pixel information in order to **enlarge** [**magnify**] an image.
（基本的に、アプリケーションは、画像を**拡大する**ために新しいピクセル情報を創る必要があります）

V-015

拡張する（～を拡張する）

expand, extend

「一方向へ拡張する」のか「複数の方向へ拡張する」のかによって、使用すべき単語が異なります。ただ、実際には多くの文脈において、expandとextendはあまり厳密に区別されずに用いられます。また、「機能を拡張する」など「方向とは無関係に拡張する」場合には、どちらの単語も一般的に用いられます。

一方向へ拡張する	extend
複数の方向へ拡張する	expand
方向とは無関係に拡張する	expand, extend

一方向へ拡張する

0649 The cable can **be extended**, but since AC and DC current are present in the cable, it must be carefully jointed with an appropriate cable.
（ケーブルは**拡張**できますが、ケーブルにはACとDCの電流が流れるので、適切なケーブルと注意深く接合する必要があります）

複数の方向へ拡張する

0650 In the metropolitan area, the subway system **has been expanded** by two operating companies.
（その都市圏では、地下鉄網は2つの運営会社によって**拡張されてきました**）

方向とは無関係に拡張する

0651 The standard functions can **be expanded** [**extended**] through the addition of user-specific modules.
（標準機能は、ユーザー専用モジュールの追加によって**拡張**できます）

■ V-016

確認する（～を確認する）

check, confirm

「状態、状況などを確認する」場合にはcheckを、「本当に間違いないかを確認する」場合にはconfirmを用います。ただし、「（想定通り）～である／ないことを確認する」と言いたい場合は、that節を後ろに続けてcheckとconfirmのどちらも用いることができます。また、想定とは関係なく「～であるかどうかを確認する」という状況であれば、checkを用いて後ろにif節を続けます。

状態、状況などを確認する	check
本当に間違いないかを確認する	confirm

状態、状況などを確認する

0652 Before starting to use the device, **check** its remaining battery.
（装置の使用を始める前に、バッテリーの残量を**確認して**ください）

本当に間違いないかを確認する

0653 Before clicking the Submit button, **confirm** all the entries.
（Submitボタンをクリックする前に、すべての入力を**ご確認**ください）

～である／ないことを確認する

0654 After starting to run the machine, **check** [**confirm**] **that** an unusual sound is not generated on the machine.
（機械の運転を開始したら、異常音が発生しないことを**確認して**ください）

～であるかどうかを確認する

0655 When data transfer fails, first **check if** the cable has come off.
（データの転送が失敗した際は、ケーブルが外れていないかを最初に**確認して**ください）

V-017

囲む（～を囲む）

enclose, surround

enclose は「囲まれているものが外側に出ることが極めて困難である場合」に用いられ、surround は「外側に出ることが困難とは言えない場合」、あるいは「外側に出ることが困難かどうかを問わない場合」に用いられます。具体的な見た目の違いで言うと、enclose を用いるのは隙間の（ほぼ）ないもので囲む場合に限られるのに対し、surround は隙間の有無に関係なく用いられます。

外側に出ることが極めて困難な場合	enclose
外側に出ることが困難とは言えない／困難かどうかを問わない場合	surround

外側に出ることが極めて困難な場合

0656 The housing formed so as to **enclose** the impeller has a channel of air flow.
（インペラを**囲む**ように形成されたハウジングは、空気流の流路を有しています）

0657 A waterproofing resin is applied so as to **enclose** the connectors and clcctronic components on the circuit board.
（防水樹脂が、回路基板上のコネクタや電気部品を**囲む**ように塗布されます）

外側に出ることが困難とは言えない／困難かどうかを問わない場合

0658 Planar permanent magnets are arranged to **surround** the piston.
（平板形状の永久磁石がピストンを**囲む**ように配列されます）

0659 The anode wiring is formed to **surround** the mesa region where a cathode electrode is formed.
（アノード配線は、カソード電極が形成されるメサ領域を**囲んで**形成されます）

V-018

傾く（～が傾く）

lean, tilt

「傾く」という表現には、「機械、機器、装置などが傾く」、「それらの一部を構成するプレート、ボード、テーブル、アーム、シャフトなどが傾く」、「何らかの建造物が傾く」、「画面上の画像、図形、線などが傾く」など、さまざまな意味合いがありますが、いずれについてもleanとtiltを区別なく用いることができます。

0660 Even when the fixed imaging device **is leaning [tilting]**, the posture of a subject can be easily corrected by the image processing device.
（固定された撮像装置が**傾いていて**も、被写体の姿勢を画像処理装置で簡単に修正できます）

0661 When the total-reflection mirror **leans [tilts]** due to factors such as thermal deformation, the beam profile is expanded.
（熱変形などの要因により全反射ミラーが**傾く**と、ビームプロファイルが膨張します）

0662 Even when the temperature of the optical scanning device becomes extremely high and thus a creep deformation occurs, the rotating shaft does not **lean [tilt]**.
（走査光学装置が異常な高温になりクリープ変形が生じても、回転軸が**傾く**ことはありません）

0663 The coil spring compression device can prevent a coil spring from **leaning [tilting]** when compressing the spring.
（そのコイルスプリング圧縮装置は、コイルスプリングを圧縮する際にコイルスプリングが**傾く**のを防ぐことができます）

0664 Even when images **are leaning [tilting]**, the image processing device is capable of accurately synthesizing the images.
（画像が**傾いていて**も、その画像処理装置はそれらを精度良く合成できます）

V-019

傾ける（～を傾ける）

incline, tilt

「傾ける」という動詞は、「機械、機器、装置などを傾ける」、「それらの一部を構成するプレート、ボード、テーブル、アーム、シャフトなどを傾ける」、「画面上の画像、図形、線などを傾ける」など、さまざまな場面で用いられますが、いずれの場合もinclineとtiltが区別なく用いられます。

0665 When the main body of the device **is inclined** [**tilted**], the light shield in the chamber moves in that direction.
（装置本体が**傾けられる**と、収容室内の遮光体はその方向に移動します）

0666 When two smartphones **are** slightly **inclined** [**tilted**] under the light, the difference in contrast between the two displays will stand out.
（2台のスマートフォンを光の下で少し**傾ける**と、双方のディスプレイのコントラストの差が現れます）

0667 To prevent solution from spilling out of the container, be careful not to excessively **incline** [**tilt**] the container.
（溶剤が容器からこぼれるのを防ぐため、容器を過度に**傾け**ないよう注意してください）

0668 The table **is inclined** [**tilted**] so that the resultant vector of the acceleration and gravity acting on the table will work perpendicular to the table.
（テーブルに作用する加速度と重力の合力ベクトルがテーブルに対して垂直に作用するように、テーブルは**傾けられます**）

0669 The flat panel allows users to operate with an equivalent force no matter in which direction the panel **is inclined** [**tilted**].
（そのフラットパネルは、ユーザーがどちらの方向にパネルを**傾けて**も、同等の力で操作することができます）

V-020

観察する(～を観察する)

monitor, observe

「観察対象の状態の変化に応じて相応のアクションをとることを前提に、非常に注意深く観察する」という意味を表す場合には、monitorが用いられます。それに対し、「アクションをとることを前提とせずに、それなりの注意を払って観察する」場合には、observeが用いられます。

アクションをとることを前提に観察する	monitor
アクションをとることを前提とせずに観察する	observe

アクションをとることを前提に観察する

0670 The scope is used when **monitoring** the cerebral changes of an examinee with an MRI apparatus while giving a range of visual information.
(そのスコープは、被験者にさまざまな視覚情報を与えながら、MRI装置で脳の変化を**観察する**際に使用されます)

0671 The melting furnace is equipped with an optical sensor for **monitoring** the state in the furnace.
(その溶解炉は、炉内の状態を**観察する**ための光学的センサーを備えています)

アクションをとることを前提とせずに観察する

0672 The electron microscope is used to **observe** the surface structure of a solid.
(その電子顕微鏡は、固体の表層構造を**観察する**ために使用されます)

0673 The rubber friction tester allows the user to easily **observe** the deformation behavior of rubber being exposed to friction.
(そのゴム摩擦試験機は、摩擦しているゴムの変形挙動を容易に**観察**できるようにします)

V-021

規定する（〜を規定する）

prescribe, stipulate

「契約の条項を規定する」場合にはstipulateを用います。それに対し、契約の条項ではない「規則、罰則などを規定する」場合にはprescribeを用います。

契約の条項を規定する	stipulate
規則、罰則などを規定する	prescribe

契約の条項を規定する

0674 The procedure of the software development **has been stipulated** in this written agreement.
（ソフトウエア開発の進め方は、この契約書で**規定されています**）

0675 The functions to be provided by the system **have been stipulated** in this written agreement.
（そのシステムで提供されるべき機能は、この契約書で**規定されています**）

規則、罰則などを規定する

0676 The rules to be followed for web advertisement **have been prescribed** in the guidelines issued by the Japan Interactive Advertising Association (JIAA).
（インターネット広告をするうえで守るべき規則は、日本インタラクティブ広告協会（JIAA）によるガイドラインで**規定されています**）

0677 Non-use of cellular phones during driving **has been prescribed** in the regulations to be obeyed by drivers.
（運転中の携帯電話の不使用は、ドライバーが守るべき規則において**規定されています**）

V-022

起動する（～が起動する）（～を起動する）

boot, initiate, launch, start

何を（何が）「起動する」のかによって、使用する単語を以下のように使い分けます。「コンピュータの起動」について言う場合、boot、initiate、startを区別なく用いることができますが、起動の間にコンピュータ上で行われる処理について触れるような文脈の場合にはbootが用いられます。

コンピュータの起動	boot, initiate, start
プログラムの起動	launch, start
機械、機器、装置などの起動	start

コンピュータの起動

0678 After the computer **is booted** [**initiated** / **started**], the control is transferred to the kernel.
（コンピュータが**起動されると**、制御はカーネルへ移されます）

プログラムの起動

0679 To **launch** [**start**] the program, double-click its icon on the taskbar located at the bottom of the screen.
（プログラムを**起動する**には、画面の下にあるタスクバー上の、プログラムのアイコンをダブルクリックしてください）

機械、機器、装置などの起動

0680 After **starting** the machine, wait for approximately 30 seconds until it becomes ready for use.
（機械を**起動し**たら、使用可能になるまで約30秒お待ちください）

V-023

供給する（～を供給する）

feed, provide, supply

施設、設備、建屋など、あるいは機械、機器、装置などに「パワー、熱、ガス、空気、水などを供給する」ことを表す動詞としては、feed、provide、supplyのいずれも多用されます。「AにBを供給する」と言う場合は、用いる前置詞やそれに応じた語順の違いに注意してください。feedを使う場合はfeed B to A、provideならprovide B to A、provide B for Aあるいはprovide A with B、supplyの場合はsupply B to Aあるいはsupply A with Bとなります。

0681 The surface mounting machine comprises a unit for **feeding** [**providing** / **supplying**] parts.
（その表面実装機は、部品を**供給する**装置を備えています）

0682 The device generates electricity by utilizing the hydraulic pressure of water **fed** [**provided** / **supplied**] **to** houses.
（その装置は、家庭に**供給される**水道の水圧を利用して電気を作ります）

0683 The pulse power source **feeds** [**provides** / **supplies**] electric power **to** the coaxial electrode to cause an electric discharge.
（そのパルスパワー源は、放電を起こすために、同軸電極へ電力を**供給します**）

0684 The production planning system makes it possible to **feed** [**provide** / **supply**] parts and materials **to** the production site in the most timely manner.
（その生産計画システムは、部品や材料を最適なタイミングで生産現場に**供給する**ことを可能にします）

V-024

禁止する（～を禁止する）

inhibit, prohibit

「行動、行為などを抑え止める」という意味の場合にはinhibitが用いられるのに対し、「強く禁じる」というニュアンスを持つprohibitは「法律、規則などで禁じる」という意味で主に用いられます。

行動、行為などを抑え止める	inhibit
法律、規則などで禁じる	prohibit

行動、行為などを抑え止める

0685 The rotating interrupt mode allows the processor to **inhibit** interrupts from certain devices.
（回転割り込みモードにより、プロセッサは特定の装置からの割り込みを**禁止**できます）

0686 Some printers used in photo printing shops **inhibit** image correction processing, such as gradation correction, tone correction and white balance correction.
（フォト印刷ショップのプリンターの中には、グラデーション補正、トーン補正、ホワイトバランス補正などの画像補正処理を**禁じる**ものもあります）

法律、規則などで禁じる

0687 It **is prohibited** to copy any intellectual property without the permission of the copyright holder.
（版権所有者の許可なしには、いかなる知的財産も複製することを**禁じられています**）

0688 In most cases, ISP contracts **prohibit** users from sending bulk emails.（ほとんどの場合、プロバイダー契約は、広告メールを送ることを利用者に対して**禁じています**）

V-025

加える（〜を加える）

add, apply

加えるものが有形であれ無形であれ、「加える」という意味の一般的な動詞としては、addが広く用いられます。しかし、「電圧、水圧、風圧などの物理的な圧を加える」場合や「推進力、浮力、重力などの物理的な力を加える」場合には、applyも多用されます。

「加える」全般	add
物理的な圧または力を加える	add, apply

「加える」全般

0689 The space filter **adds** a phase delay to each frequency component of an optical signal reflected against the mirror.
（その空間フィルタは、ミラーで反射する光信号の各周波数成分に位相遅延を**加え**ます）

0690 The game can be made more realistic and enjoyable by **adding** a body weight to game elements.
（ゲーム要素に体重を**加える**ことで、ゲームの現実味と面白味を増すことができます）

0691 The properties of a semiconductor can be changed by **adding** impurities.（不純物を**加える**ことで、半導体の特性を変えることができます）

物理的な圧または力を加える

0692 The piezoelectric element is deformed when voltage **is added [applied]**.
（圧電素子は、電圧が**加えられる**とたわみを生じます）

0693 The water pressure raised in the pressure vessel **is added [applied]** to the seeds for a prescribed period.
（加圧容器内で上昇させられた水圧が、種子に所定の時間**加えられます**）

V-026

経過する（～が経過する）

elapse, pass

「ある年数、月数、日数、時間（時・分・秒）が経過する」と言う場合、elapseとpassを区別なく用いることができます。

0694 Three years **have elapsed** [**passed**] since the new system was introduced to our workplace, and no failures have occurred in the system yet.
（その新しいシステムが職場に導入されて3年**経過しました**が、まだ一度もシステム上の不具合は生じていません）

0695 If a year **has elapsed** [**passed**] without the password being changed, a warning appears on your screen.
（パスワードが変更されずに1年が**経過する**と、警告が画面に表示されます）

0696 If no reports have been received from the computer after a specified number of days **have elapsed** [**passed**], the computer is recognized as having expired and it is deleted from the database.
（指定した日数が**経過して**もコンピュータからレポートをまったく受信していない場合、そのコンピュータは期限切れとみなされ、データベースから削除されます）

0697 The computer is placed into the power-saving mode after a specified period of time **has elapsed** [**passed**] since last being operated.
（そのコンピュータは、最後の操作から指定時間が**経過する**と省電力モードに入ります）

0698 If the installer has not started automatically after a certain period of time **has elapsed** [**passed**], detach the device and then try reattaching it.
（一定時間が**経過して**もインストーラが自動的に起動しない場合は、デバイスを取り外してから再度接続してみてください）

V-027

傾斜する（～が傾斜する）（～を傾斜させる）

incline, slant, tilt

「基準となる面、位置からの傾斜」、あるいは「角度に強い意味がある傾斜」の場合には、tiltが一般的に用いられます。「基準面、位置、角度に強い意味がない傾斜」の場合には、incline、slant、tiltをあまり厳密に区別せずに用います。

基準面、位置、角度に強い意味がある傾斜	tilt
基準面、位置、角度に強い意味がない傾斜	incline, slant, tilt

基準面、位置、角度に強い意味がある傾斜

0699 Before installing the machine, use a level to check that the foundation **is** not **tilting**.
（マシンを設置する前に、土台が**傾斜して**いないことを水準器で確認してください）

0700 The attaching leg portion **is tilted** relative to the optical axis of the lens portion.
（取り付け脚部は、レンズ部の光軸に対して**傾斜しています**）

基準面、位置、角度に強い意味がない傾斜

0701 When the table **inclines** [**slants** / **tilts**], the drain pan collects any drips.
（台が**傾斜する**と、ドレンパンは滴り落ちる液を回収します）

0702 The arm unit **inclines** [**slants** / **tilts**] toward the circuit substrate, and its angle changes according to the bending degree of the substrate.
（アーム部は回路基板に対して**傾斜し**、その角度は、回路基板の曲げの程度に応じて変化します）

V-028

決定する（～を決定する）

decide, determine

技術情報を扱う多くの文脈で、「決定する」という意味の動詞として、decideとdetermineが区別なく用いられます。ただし、decideの後ろにto不定詞以外の語句（例：名詞、動名詞、名詞句など）を続ける場合は、decide on ～の形にする必要があります。人を主語とした文でdecide on ～を使うと、「複数の選択肢の中から決定する」というニュアンスが強く含まれることになります。

0703 The system automatically **determines [decides on]** an appropriate backup schedule and conducts backups on a regular basis.
（そのシステムは、自動的に適切なバックアップスケジュールを**決定し**、定期的にバックアップを行います）

0704 The troubleshooting program automatically **determines [decides on]** which method is to be adopted to deal with problems.
（そのトラブルシューティング・プログラムは、どの手法で問題を処理するのかを自動的に**決定します**）

0705 The printer automatically **determines [decides on]** the tray to use, depending on the size of the sheet of paper placed on the scan surface.
（そのプリンターは、スキャン面に置かれた原稿のサイズに応じて、使用するトレイを自動的に**決定します**）

0706 The car manufacturer **determined [decided]** to move forward the schedule of quitting the production of its all gasoline cars.
（その自動車メーカーは、すべてのガソリン車の生産中止の計画を前倒しすることを**決定しました**）

0707 The CEO of the online game company **determined [decided]** to have a partnership with an Israeli venture company.
（そのオンラインゲーム会社のCEOは、イスラエルのベンチャー企業と提携することを**決定しました**）

V-029

検査する(~を検査する)

check, examine, inspect

「検査する」を表す動詞は、その対象や目的によって以下のように使い分けます。

患者を検査する	examine
標本、検体を検査する	examine
製品、部品などの品質を検査する	check, examine, inspect
機械、機器、装置などの状態を検査する	check, inspect

患者を検査する

0708 A doctor may **examine** patients by observing the graphs of their physiological data.
(医師は、患者の生理的データのグラフを観察し患者を**検査する**こともあります)

標本、検体を検査する

0709 A serum separation sheet is used to **examine** blood specimens.
(血液検体を**検査する**のに、血清分離シートが使用されます)

製品、部品などの品質を検査する

0710 The device is capable of **checking [examining / inspecting]** the quality of products at high speed and in a noncontact manner.
(その装置は、製品の品質を高速かつ非接触的に**検査する**ことができます)

機械、機器、装置などの状態を検査する

0711 **Check [Inspect]** the inside of the machine periodically to ensure its proper operations.
(正常な運転を確実なものとするよう、機械の内部を定期的に**点検して**ください)

V-030

減少する(〜が減少する)(〜を減少させる)

decrease, reduce

「サイズ、数、量、速度などの減少」を表す動詞としては、decreaseとreduceが区別なく用いられます。ただし、「ファイル、データなどのサイズの減少」について言う場合にはreduceが一般的に用いられます。

サイズ、数、量、速度などの減少	decrease, reduce
ファイル、データなどのサイズの減少	reduce

サイズ、数、量、速度などの減少

0712 The semiconductor memory device enables a chip size to **be** further **decreased [reduced]**.
(その半導体記憶装置で、チップサイズをさらに**減少させる**ことができます)

0713 As the etching depth is increased, the flow rate of nitrogen **is decreased [reduced]**.
(エッチング深さが大きくなるにつれ、窒素の流量は**減少します**)

0714 The response speed of the liquid crystal elements **is decreased [reduced]** as the viscosity of the liquid crystal is increased.
(液晶素子の応答速度は、液晶の粘度の増加に伴って**減少します**)

0715 The game machine allows the number of light emitting units to **be decreased [reduced]**.
(そのゲーム機は、発光ユニットの数の**減少**を可能にします)

ファイル、データなどのサイズの減少

0716 This device **reduces** the size of drawing data to be processed and facilitates its management.
(この装置は、扱う図面データのサイズを**減少させ**、管理を容易にします)

V-031

検知する（～を検知する）

detect, sense

「機械、機器、装置など、あるいはそれらの一部品によって検知する」という意味の動詞としては、detectが一般的に用いられます。ただし、「センサーによる検知であることが明確な場合」には、detectのほかにsenseも用いられます。

機械、機器、装置など、あるいはそれらの一部品によって検知する	detect
センサーによる検知であることが明確な場合	detect, sense

機械、機器、装置など、あるいはそれらの一部品によって検知する

0717 The level detection circuit **detects** sound pressure levels through input sound signals.
（レベル検出回路は、入力された音声信号から音圧レベルを**検知します**）

0718 The terahertz inspection device is capable of **detecting** and identifying chemical materials.
（そのテラヘルツ検査装置は、化学物質を**検知し**特定することができます）

センサーによる検知であることが明確な場合

0719 The robot has sensors on its chest and arms to **detect** [sense] the position and weight of the person it is carrying.
（そのロボットは胸と腕にセンサーを有し、抱えている人の位置と重さを**検知します**）

0720 The vehicle is equipped with a sensor for **detecting** [sensing] a possible collision and warning the driver and pedestrians.
（その車には、衝突の可能性を**検知し**、運転者や歩行者に警告するためのセンサーが備えられています）

V-032

向上する（～が向上する）（～を向上させる）

improve, progress

「能力、性能、精度、生産性、効率などが向上する／を向上させる」ことを表す動詞としては、自動詞ではimproveとprogress、他動詞ではimproveが一般的に用いられます。improveは「現在の状態よりも良くなる／良くする」という意味になりますが、progressには「決められた目標に近づく」というニュアンスが含まれます。

現在の状態よりも良くなる／良くする	improve
目標に近づく	progress

現在の状態よりも良くなる／良くする

0721 This system can **improve** the dissolving ability of the gaseous ammonia to be diluted.
（このシステムは、希釈するアンモニアガスの溶解能力を**向上させる**ことができます）

0722 The AC generator for a vehicle is capable of **improving** the cooling capacity of a rectifier.
（その車両用交流発電機は、整流器の冷却性能を**向上させる**ことができます）

目標に近づく

0723 The productivity of the production line **has** largely **progressed** due to the introduction of the new production facility-managing program.
（生産ラインの生産性は、新しい生産設備管理プログラムの導入により、大きく**向上しています**）

0724 The substrate processor enables the manufacturing yield and manufacturing efficiency of substrates to **progress**.
（その基板処理装置は、基板の製造歩留まりと製造効率の**向上**を可能にします）

V-033

構築する（～を構築する）

build up, construct

「ネットワーク、データベース、システム、仕組みなどを構築する」ことを表す動詞としては、build upとconstructが区別なく用いられます。「構造物やその構造を構築する」という意味の場合には、constructが一般的に用いられます。

ネットワーク、データベース、システム、仕組みなどを構築する	build up, construct
構造物やその構造を構築する	construct

ネットワーク、データベース、システム、仕組みなどを構築する

0725 The database construction device is capable of **building up [constructing]** a database based on data other than text data.
（そのデータベース構築装置は、テキストデータ以外のデータを基にデータベースを**構築する**ことができます）

0726 Both tasks and emails can be efficiently managed by **building up [constructing]** an email-centered task management system.
（Eメール中心型のタスク管理システムを**構築する**ことで、タスクとEメールの両方を効率的に管理することができます）

0727 The mechanism of the search engine **is built up [constructed]** so that any content related to a key content can be easily retrieved from a large variety.
（その検索エンジンの仕組みは、多種多様のコンテンツからキーコンテンツに関連するコンテンツを簡単に検索できるよう**構築されています**）

構造物やその構造を構築する

0728 By **constructing** vibrational energy-absorbing structures between the pilings and a building, the swinging of the building can be restrained when an earthquake occurs.（杭と建物との間に振動エネルギー吸収構造を**構築する**ことで、地震の発生時に建物の揺れを抑制できます）

■ V-034

壊れる（～が壊れる）

break, break down, corrupt

「機械、機器、装置などが壊れる」ことを表す場合には、以下のように表現を使い分けます。

駆動部（動く部分）があるものが壊れる	break down
駆動部（動く部分）がないものが壊れる	break
ファイル、データ、フォーマット、パーティション、システムなどが壊れる	corrupt

駆動部（動く部分）があるものが壊れる

0729 The joint portion monitoring device can identify a defective part of a multi-joint robot before a joint portion **breaks down** completely.
（その関節部監視装置は、多関節ロボットの関節部が完全に**壊れる**前に不具合箇所を特定することができます）

駆動部（動く部分）がないものが壊れる

0730 The phosphor of the light-emitting device does not **break** even if the piezoelectric element generates an electromotive force exceeding the allowable voltage of the phosphor.（その発光装置の発光体は、圧電素子が発光体の許容電圧を超える起電力を生じても**壊れ**ません）

ファイル、データ、フォーマット、パーティション、システムなどが壊れる

0731 If a file being handled becomes **corrupted**, the machine tool control device excludes the file from the backup targets.
（扱われているファイルが**壊れる**と、工作機械制御装置は、そのファイルをバックアップの対象から除外します）

V-035

再開する（～が再開する）（～を再開する）

restart, resume

「～が再開する」、「～を再開する」という意味の動詞としては、restartとresumeのどちらも用いられます。ただし、restartには「再起動する」という意味もあるので、誤解が生じる可能性のある文脈ではresumeを用いる必要があります。

0732 When a digital broadcast receiver is moved to a different region, the reception of broadcasting can **be restarted [resumed]** instantly.
（デジタル放送受信装置が別の区域に移動されると、放送の受信は即座に**再開されます**）

0733 A data recorder that records data in real time can quickly **restart [resume]** recording after a momentary interruption of its power source.
（データをリアルタイムで記録するデータレコーダは、電源瞬断の後に記録を迅速に**再開する**ことができます）

0734 The image forming device is able to **restart [resume]** a job immediately after eliminating an error.
（その画像形成装置は、エラーの解消後、直ちにジョブを**再開**できます）

0735 After a determined time has elapsed, the communication controller checks the presence/absence of a shield object and **restarts [resumes]** data communications if no shield objects are present.
（その通信制御装置は、所定時間の経過後に遮蔽物の有無を確認し、もしなければデータ送信を**再開します**）

0736 If the machine stops suddenly, check the possible cause before attempting to **restart [resume]** its operation.
（マシンが突然停止した際は、運転の**再開**を試みる前に、可能性のある原因を調べてください）

V-036

再起動する（～を再起動する）

reboot, restart

「再起動する」という意味の動詞には、rebootとrestartがあります。「コンピュータ、機械、機器、装置などを再起動する」場合はどちらも用いることができますが、再起動をする過程で行われる処理について触れるような文脈ではrebootを用います。また、「アプリケーション、プログラムなどを再起動する」場合にはrestartを用います。

コンピュータ、機械、機器、装置などを再起動する	reboot, restart
アプリケーション、プログラムなどを再起動する	restart

コンピュータ、機械、機器、装置などを再起動する

0737 The recognition of a USB device is restored without detaching and attaching the device or **rebooting** [**restarting**] the computer.
（USBデバイスの認識は、装置を抜き差ししたりコンピュータを**再起動したり**しなくても復旧します）

0738 The network is capable of shortening the time needed to **reboot** [**restart**] network equipment.
（そのネットワークは、ネットワーク機器を**再起動する**のに要する時間を短縮することができます）

アプリケーション、プログラムなどを再起動する

0739 Even if a different network address is assigned to a terminal, the application of the terminal **is** not **restarted**.
（端末に異なるネットワークアドレスが割り当てられても、端末のアプリケーションは**再起動されません**）

V-037

再発する（～が再発する）

recur, reoccur

recurは「病気が再発する」という意味の動詞として多用されますが、それ以外に何かが「繰り返し再発する」ことを表すのにも用いられます。それに対し、reoccurは「必ずしも繰り返されるわけではない再発」の場合に用いられます。

病気が再発する	recur
繰り返し再発する	recur
必ずしも繰り返されるわけではない再発	reoccur

病気が再発する

0740 The azulene derivative is used to treat digestive disorders and to prevent them from **recurring**.
（アズレン誘導体は、消化器疾患を治療したり疾患が**再発したり**することを防ぐのに用いられます）

繰り返し再発する

0741 The program detects any unusual phenomena that tend to **recur** in computer system resources.
（そのプログラムは、コンピュータシステムのリソースにおいて**再発する**傾向のあるいかなる異常事象も検知します）

必ずしも繰り返されるわけではない再発

0742 This piping repairing method can stop any leakage of fluid from **reoccurring**.
（この配管補修方法は、流体の漏洩の**再発**を阻止できます）

V-038

採用する（〜を採用する）

adopt, employ

「複数の選択肢から選んで採用する」場合にはadopt、「何かを達成するための手段、技術、要素などを採用する」場合にはemployを用います。ただし、「何かを達成するための手段、技術、要素などを複数の選択肢から選んで採用する」場合は、どちらの単語も用いることができます。

複数の選択肢から選んで採用する	adopt
何かを達成するための手段、技術、要素などを採用する	employ

複数の選択肢から選んで採用する

0743 In order to prevent any delay in data transfer, the USB adapter can **adopt** the most appropriate transfer mode.
（そのUSBアダプタは、データ転送の遅延を抑制するために、最適な転送モードを採用することができます）

0744 A small motor can **be adopted** as the driving source of a floating oil removing device.
（浮上油除去装置の駆動源として、小型のモーターを**採用**できます）

何かを達成するための手段、技術、要素などを採用する

0745 The image processing device **employs** a two-dimensional to three-dimensional conversion technique to make it feel like an image is popping out.
（その画像処理装置は、画像の飛び出し感を高められる2D／3D変換手法を**採用**しています）

0746 A new algorithm **was employed** to analyze defect artifacts more precisely.
（欠陥アーチファクトをより正確に解析するために、新しいアルゴリズムが**採用され**ました）

V-039

削除する（～を削除する）

delete, erase

ファイル、データ、コンテンツ、画像、メールといった「容量を問うものを削除する」場合には、deleteとeraseのどちらも多用されます。それに対し、アカウント、インデックス、ディレクトリ、ユーザーといった「容量を問わないものを削除する」場合には、deleteが一般的に用いられます。

容量を問うものを削除する	delete, erase
容量を問わないものを削除する	delete

容量を問うものを削除する

0747 Unnecessary data supplied from the outside **are** detected and **deleted** [**erased**] automatically.
（外部から供給された不要なデータは、自動的に検出し**削除されます**）

0748 When an instruction to **delete** [**erase**] a document is received from a user, the system first checks whether the document is currently being transmitted or printed.
（ユーザーから文書を**削除する**よう指示を受けると、そのシステムはまず、該当文書が送信中あるいはプリント中であるかを確認します）

容量を問わないものを削除する

0749 The account control section notifies the administrator of the accounts of the registrants to **be deleted**.
（アカウント制御部は、**削除される**べき登録者のアカウントを管理者に通知します）

0750 Each printer **deletes** transmitted download requests in response to deletion requests from other printers.
（各プリンターは、他のプリンターからの削除要求に応じて、送信済みのダウンロード要求を**削除します**）

V-040

実現する（～を実現する）

attain, realize

「実現する」という意味の動詞にはattainとrealizeがあり、「計画、目標、課題などを実現する」場合にはどちらも多用されます。realizeはその他に、「機能、性能、仕様などを実現する」場合にも一般的に用いられます。

計画、目標、課題などを実現する	attain, realize
機能、性能、仕様などを実現する	realize

計画、目標、課題などを実現する

0751 The work plan supporting device enables a work plan set by multiple members to **be attained** [**realized**] as scheduled.
（その作業計画支援装置は、複数のメンバーによって設定された作業計画を予定通りに**実現する**ことを可能にします）

0752 A target transmission gear ratio response **is attained** [**realized**] by reducing the deviation between the target transmission gear ratio and the actual transmission gear ratio.
（目標とする変速比応答は、目標変速比と実変速比との偏差を減少させることで**実現されます**）

機能、性能、仕様などを実現する

0753 **Realizing** an accurate auto white balance enables accurate color reproduction.
（正確なオートホワイトバランスを**実現する**ことによって、正確な色再現が可能となります）

0754 An interlock mechanism and a collision sensor mechanism **are realized** with a single device.
（インターロック機構と衝突センサー機構が単一の装置で**実現されます**）

V-041

実行する（～を実行する）

execute, implement, run

「実行する」という意味の動詞としては、executeが一般的に用いられます。「計画、スケジュールなどを実行する」場合にはimplement、「ジョブ、プログラム、シーケンスなどを実行する」場合にはrunも多用されます。

計画、スケジュールなどを実行する	execute, implement
機能、操作、手順などを実行する	execute
ジョブ、プログラム、シーケンスなどを実行する	execute, run

計画、スケジュールなどを実行する

0755 When the specified time comes, an alarm is output from the speaker to prompt the user to **execute [implement]** the scheduled task.
（指定された時刻になると、スピーカーからアラームが発せられて、ユーザーは予定していた作業を**実行する**よう促されます）

機能、操作、手順などを実行する

0756 The microcomputer **executes** a self-diagnostic function when starting after a power failure or reset.
（そのマイコンは、停電あるいはリセット後の起動時に自己診断機能を**実行します**）

ジョブ、プログラム、シーケンスなどを実行する

0757 A single process can include multiple threads to **execute [run]** the same program.
（1つのプロセスは、同じプログラムを**実行する**複数のスレッドを持つことができます）

V-042

実装する（～を実装する）

implement, mount

「～を実装する」と言う場合、実装するものがソフトウエア、プログラム、プロトコル、機能、技術などであればimplement、部品、コンポーネント、ユニットなどであればmountが用いられます。なお、「～を備えている／～が備わっている」という意味合いになる場合はbe equipped with ～などの表現が用いられます。

ソフトウエア、プログラム、プロトコル、機能、技術などを実装する	implement
部品、コンポーネント、ユニットなどを実装する	mount

ソフトウエア、プログラム、プロトコル、機能、技術などを実装する

0758 The configuration data are used for **implementing** an arbitrary input/output logical-value table on the lookup table.
（そのコンフィギュレーションデータは、ルックアップテーブルに任意の入出力論理値表を**実装する**ために用いられます）

0759 This system allows the user to easily and flexibly **implement** complex flows.
（このシステムは、複雑なフローを容易かつ柔軟に**実装する**ことを可能にします）

部品、コンポーネント、ユニットなどを実装する

0760 This device is capable of accurately **mounting** electronic parts onto a substrate.
（この装置は、基板上に電子部品を正確に**実装する**ことができます）

0761 The push switch unit **is mounted** on a flexible printed circuit board without being soldered.
（そのプッシュスイッチユニットは、はんだ付けされることなく、フレキシブルプリント回路基板に**実装されます**）

V-043

収集する（～を収集する）

acquire, collect

「データ、情報を収集する」という意味の動詞としては、acquireとcollectが区別なく用いられます。「ログ、資料、文書などを収集する」、「廃棄物、リサイクル品などを収集する」場合にはcollectが一般的に用いられます。

データ、情報を収集する	acquire, collect
ログ、資料、文書などを収集する	collect
廃棄物、リサイクル品などを収集する	collect

データ、情報を収集する

0762 The **acquired** [**collected**] data must be properly linked with the master data before being saved in the database.
（**収集された**データは、マスターデータに正しく関連付けてからデータベースに保存する必要があります）

0763 The information center **acquires** [**collects**] traffic information based on the results of traffic data.
（その情報センターは、交通データの結果を基に交通情報を**収集します**）

ログ、資料、文書などを収集する

0764 This unit calculates the demand prediction values of **collected** documents.
（このユニットは、**収集された**文書の需要予測値を算出します）

廃棄物、リサイクル品などを収集する

0765 This container is capable of performing the fermentation and aging of **collected** organic waste.
（このコンテナは、**収集された**有機廃棄物の発酵と熟成を行うことができます）

V-044

修正する（～を修正する）

correct, fix, revise

「修正する」を表す動詞としては、多くの文脈でcorrectを用いることができます。「バグ、エラー、誤り、あるいは問題のあるプログラムなどを修正する」場合はfixを、「データ、情報、画像、文書などを修正する」場合はreviseも用いられます。

バグ、エラー、誤り、プログラムなどを修正する	correct, fix
データ、情報、画像、文書などを修正する	correct, revise

バグ、エラー、誤り、プログラムなどを修正する

0766 The sound decoding device detects and **corrects** [**fixes**] any errors that occur in sample data.（その音響復号装置は、サンプルデータ内で発生するあらゆるエラーを検出し**修正します**）

0767 A program development support environment must reduce the processing load of a compiler and a debugger when source programs **are corrected** [**fixed**].
（プログラム開発支援環境は、ソースプログラムの**修正**時にコンパイラ及びデバッガの処理負荷を軽減する必要があります）

データ、情報、画像、文書などを修正する

0768 When the selected graphic data **is corrected** [**revised**], other data belonging to the same group **are** automatically **corrected** [**revised**].
（選択された図形データが**修正されると**、同じグループに属する他のデータも自動的に**修正されます**）

0769 The web application server signs a **corrected** [**revised**] document with a digital signature.
（そのWebアプリケーションサーバは、デジタル署名を用いて**修正**文書に署名を行います）

V-045

終了する（～が終了する）（～を終了させる）

complete, end, terminate

何を「終了する／させる」のかによって、以下のように単語を使い分けます。

操作、動作、手続き、開発などの終了	complete, end
プログラム、アプリケーションなどの終了	end, terminate
通話、会話、コミュニケーションなどの終了	end, terminate
サービス、サポート、契約などの終了	end, terminate

操作、動作、手続き、開発などの終了

0770 Before turning off the power, check that the operation **has completed** [**ended**].
（電源を切る前に、動作が**終了している**ことを確認してください）

プログラム、アプリケーションなどの終了

0771 Press the F7 key until the debugger **ends** [**terminates**] the program.（デバッガがプログラムを**終了する**まで F7キーを押してください）

通話、会話、コミュニケーションなどの終了

0772 A call **ends** [**terminates**] automatically when you place the handset on the cradle.
（受話器を受け台に置くと、通話は自動的に**終了します**）

サービス、サポート、契約などの終了

0773 The support of the old version will **be ended** [**terminated**] in three years after the release of a new version.（古いバージョンのサポートは、新しいバージョンのリリースの３年後に**終了します**）

V-046

縮小する（～が縮小する）（～を縮小する）

downsize, reduce

「会社、工場、事業などの規模の縮小」であればdownsizeが用いられ、「画像、写真、データなどのサイズの縮小」であればreduceが用いられます。

会社、工場、事業などの規模の縮小	downsize
画像、写真、データなどのサイズの縮小	reduce

会社、工場、事業などの規模の縮小

0774 Some manufacturers increase their profits by raising their production efficiency while **downsizing** their production sites.
（製造会社の中には、生産拠点を**縮小し**つつも生産効率を高めることで利益を増やすものもあります）

0775 It has been recognized that the domestic semiconductor industry **has been downsizing** and declining.
（国内の半導体産業は**縮小**、衰退**している**と認識されています）

画像、写真、データなどのサイズの縮小

0776 When the size of a map **is** enlarged or **reduced**, the scale **is** similarly enlarged or **reduced** to keep it accurate.
（マップのサイズを拡大・**縮小すると**、縮尺目盛りも正しく保たれるよう拡大・**縮小されます**）

0777 Using a PDF compression website is an easy way to **reduce** the size of your PDF files.
（PDF圧縮サイトの利用は、PDFファイルのサイズを**縮小する**簡単な方法の1つです）

V-047

出荷する（〜を出荷する）

deliver, ship

「工場、倉庫などから出荷する」ことを表す動詞としては、deliverとshipが区別なく用いられます。

0778 After quality inspection, the products are then sent to a distribution center to **be** packaged and **delivered** [**shipped**].
（品質検査を終えると、製品は梱包、**出荷する**ために流通センターへ送られます）

0779 When the device **is delivered** [**shipped**], any control data settings having unusual values must not be left in the non-volatile memory (NVM).
（機器が**出荷される**際に、異常な値の制御データの設定が不揮発性メモリに残されていてはいけません）

0780 The operation support system enables products stocked in a warehouse to **be delivered** [**shipped**] in a timely manner.
（その業務支援システムは、倉庫に保管された商品をタイミングよく**出荷する**ことを可能にします）

0781 This device autonomously adjusts the configuration of a target circuit even after the product **is delivered** [**shipped**].
（この装置は、製品**出荷**後も対象回路の構成を自律的に調整します）

0782 Every product goes through a series of tests and inspections before **being delivered** [**shipped**].
（すべての商品は、一連の試験と検査を経たのちに**出荷されます**）

V-048

準拠する(～に準拠する)

comply with～, conform to～

「基準、標準、規格、規約、法令などに準拠する」という意味の動詞としては、comply with ～とconform to ～を区別なく用いることができます。

0783 The microwave landing system (MLS) **complies with [conforms to]** international civil aviation standards.
(そのマイクロ波着陸システム(MLS)は国際民間航空機関の標準に**準拠しています**)

0784 This system transmits 3-D video data from a video output device to a video display device through an interface that **complies with [conforms to]** HDMI standards.
(このシステムは、HDMI規格に**準拠した**インターフェースを介して、映像出力装置から映像表示装置へ3D映像データを伝送します)

0785 This system serves to manage medical information that **complies with [conforms to]** the Medical Markup Language.
(このシステムは、医療情報交換規約に**準拠した**医療情報を管理する役割を果たします)

0786 By accessing the compliance data table, compliance checks can be conducted so that the corresponding rules and regulations **are complied with [conformed to]**.
(コンプライアンスデータのテーブルにアクセスすることにより、該当する法令に**準拠する**ようにコンプライアンスチェックを行えます)

0787 Clinical trials must **comply with [conform to]** the Good Clinical Practice guidelines.
(臨床試験は、臨床試験実施基準に**準拠する**必要があります)

V-049

消去する（〜を消去する）

delete, erase

「特定のファイル、データ、画像、文字、レコードなどを個別に消去する」場合にはdeleteを用います。それに対し、「メモリ、ディスク、トラックなどの記憶装置上のすべての情報をまとめて消去する」場合にはeraseを用います。eraseの目的語には、メモリ、ディスク、トラックなどの記憶装置を表す用語が入ります。

特定の情報を個別に消去する	delete
記憶装置上のすべての情報をまとめて消去する	erase

特定の情報を個別に消去する

0788 When the specified retention period elapses, the stored image data **is deleted** automatically.
（指定された保存期間が経過すると、保存された画像データは自動的に**消去されます**）

0789 When the web browser is stopped, session information about the web browser **is deleted**.
（ウェブブラウザが停止すると、ウェブブラウザに関わるセッション情報が**消去されます**）

記憶装置上のすべての情報をまとめて消去する

0790 The flash memory device allows the user to specify the size of the memory cell block to **be erased**.
（そのフラッシュメモリ装置では、**消去する**メモリセルブロックのサイズを指定することができます）

0791 When the disk **is erased**, a laser beam is generated from the optical head.
（ディスクが**消去される**とき、光学ヘッドからレーザー光が発生します）

V-050

上昇する（～が上昇する）（～を上昇させる）

increase, raise, rise

「圧力（電圧、気圧、水圧など）、温度、湿度、水位などの上昇」を表す場合、自動詞としてはincreaseとrise、他動詞としてはincreaseとraiseが区別なく用いられます。「生産性、コスト、価格などの上昇」の場合は、自動詞、他動詞のいずれもincreaseが一般的に用いられます。

圧力、温度、湿度、水位などが上昇する	increase, rise
圧力、温度、湿度、水位などを上昇させる	increase, raise
生産性、コスト、価格などが上昇する／を上昇させる	increase

圧力、温度、湿度、水位などが上昇する

0792 The concentration of the sealed ozone gas is detected based on **increasing** [**rising**] pressure and temperature after its decomposition.
（封入オゾンガスの濃度は、分解後の**上昇**圧力と**上昇**温度に基づいて検知されます）

圧力、温度、湿度、水位などを上昇させる

0793 The ultrasonic irradiation apparatus **increases** [**raises**] the temperature of a region of interest to the target temperature.
（その超音波照射装置は、対象領域の温度を目的温度まで**上昇させます**）

生産性、コスト、価格などが上昇する／を上昇させる

0794 The manufacturer has managed to improve the durability of the multistage compressor without **increasing** its cost.
（その製造会社は、コストを**上昇させる**ことなく、多段圧縮機の耐久性を向上させています）

V-051

初期化する（～を初期化する）

initialize, reset

「機械、機器、装置などの稼働を開始するのに必要な事前の処理」という意味の「初期化」の場合は、initializeが用いられます。一方で、「機械、機器、装置などの設定を初期の状態に戻す」という意味の「初期化」の場合には、resetが用いられます。

機械などの稼働に必要な事前の処理	initialize
機械などの設定を初期の状態に戻すこと	reset

機械などの稼働に必要な事前の処理

0795 When the power is turned on, the sequence for **initializing** the system is initiated.
（電源を投入すると、システムを**初期化する**シーケンスがスタートします）

0796 The microcomputer only **initializes** any peripheral circuits that need to **be initialized**.
（マイクロコンピュータは、**初期化する**必要のある周辺回路のみ**初期化します**）

機械などの設定を初期の状態に戻すこと

0797 Before starting the procedure for **resetting** the system, confirm that any important data on the system have been backed up.
（システムを**初期化する**手順を始める前に、システム上のすべての重要なデータのバックアップがとられていることを確認してください）

0798 The position counter **is reset** when an index pulse is detected.
（インデックスパルスが検出されると、位置カウンターは**初期化されます**）

V-052

除去する（～を除去する）

eliminate, remove

「物の存在を完全になくす」場合にはeliminate、「ある場所から取り除き別の場所に移す」場合にはremoveを用いるという説明がよく見られます。しかし実際には、「ノイズ、塵埃（じんあい）、ウイルス、不純物、静電気といった好ましくないものを除去する」ことを表す動詞としてはeliminateとremoveのどちらも多用されており、「目的遂行に不要なもの、支障となるものを除去する」場合にはremoveが一般的に用いられます。目的次第で除去されるものの例としては、水分、油、異音、電磁波などが挙げられます。

好ましくないものを除去する	eliminate, remove
目的遂行に不要なもの、支障となるものを除去する	remove

好ましくないものを除去する

0799 The solid-state imaging device is capable of **eliminating** [**removing**] thermal noise.
（その固体撮像素子は、熱雑音を**除去**できます）

0800 The receiver can **eliminate** [**remove**] interference signals included in received signals more effectively than conventional receivers.
（その受信機は、受信信号に含まれる干渉信号を、従来のものよりも効率的に**除去**できます）

目的遂行に不要なもの、支障となるものを除去する

0801 The gas discharging device can easily and effectively **remove** moisture included in gas.
（そのガス放電装置は、ガス中の水分を容易かつ効果的に**除去**できます）

0802 The electrostatic deionization device can efficiently and constantly **remove** ion components in solution.
（その静電脱イオン装置は、溶液中のイオン成分を効率よく一定的に**除去**できます）

V-053

振動する（～が振動する）（～を振動させる）

oscillate, vibrate

「～が振動する／～を振動させる」という動詞については、「自重によって揺れ戻る振動」の場合はoscillate、「弾力性によって揺れ戻る振動」の場合はvibrateを用いるという説明がよく見られます。しかし実際には、「機械的な振動」にvibrateが多用されることを除けば、この2つの単語はあまり厳密に区別せずに用いられます。

「振動する」全般	oscillate, vibrate
機械的な振動	vibrate

「振動する」全般

0803 The piezoelectric actuator enables the piezoelectric element to **oscillate [vibrate]** at a drive frequency and transmits the motions to the rotor.
（その圧電アクチュエータは、駆動周波数で圧電素子を**振動させ**、その動きをローターに伝達します）

0804 The **oscillating [vibrating]** body **is oscillated [vibrated]** at a stable frequency even when the substrate is subject to stress.
（その**振動**体は、基板に応力がかかるときも、安定した周波数で**振動します**）

0805 The two plates are slightly inclined relative to the horizontal plane and **oscillate [vibrate]** at different frequencies.
（2枚のプレートは水平面に対してわずかに傾けられており、異なる周波数で**振動します**）

機械的な振動

0806 When generating a low-pitched sound, the actuator causes the speaker body itself to **vibrate** as a diaphragm.（低音を発生する際に、アクチュエータはスピーカー本体自体を振動板として**振動させます**）

V-054

制限する（～を制限する）

limit, restrict

「外的要因による制限」の場合はrestrict、「元々存在する（内在する）制限」の場合はlimitを用いるという説明がよく見られます。しかし実際には、技術情報を伝える文脈において、この2つの単語はあまり厳密に区別せずに用いられます。

0807 Images to be transferred to the server **are limited [restricted]** to a certain number.
（サーバに転送する画像は、一定の数に**制限されます**）

0808 The rotation of the power transmission device **is limited [restricted]** without degrading the transmission efficiency.
（その動力伝達装置の回転は、伝達効率を低下させることなく**制限されます**）

0809 The navigation device autonomously acquires criteria for **limiting [restricting]** the utilization of information.
（そのナビゲーション装置は、情報の利用を**制限する**ための判断基準を自立的に取得します）

0810 The operation of the non-volatile memory (NVM) is dynamically controlled to **limit [restrict]** power consumption.
（その不揮発性メモリ（NVM）の動作は、電力消費を**制限する**ために動的に制御されます）

0811 The occurrence of communication traffic having specific traffic patterns must **be** definitely **limited [restricted]**.
（特定のトラフィックパターンを有する通信トラフィックの発生は、確実に**制限される**必要があります）

V-055

切断する（～を切断する）

chop off, cut off, disconnect

何を「切断する」のかによって、以下のように単語を使い分けます。chop off は、日本語の「切り落とす」に近いニュアンスを表す場合に用いられます。

物質を切断する	cut off
物質を切り落とす	chop off
通信を切断する	disconnect
電源を切断する	disconnect

物質を切断する

0812 The laser beam machine accurately **cuts off** a target object along a specified line.
（レーザー加工機は、対象物を指定ラインに沿って正確に**切断します**）

物質を切り落とす

0813 The parts **chopped off** must be disposed of as radioactive waste using the predetermined method.
（**切断された**部分は放射性廃棄物として所定の方法で廃棄しなければなりません）

通信を切断する

0814 The data transfer device can **disconnect** an unnecessary session where appropriate.
（そのデータ転送装置は、必要に応じて不要なセッションを**切断**できます）

電源を切断する

0815 The power **is** automatically **disconnected** without wasting the internal battery.（電源は、内部電池を無駄に消耗することなく自動的に**切断されます**）

V-056

説明する（～を説明する）

describe, explain

「説明する」という意味を表すのに用いられる単語には、describeとexplainがあります。describeは「出来事や決まり事などを言葉で単に描写する」場合に用いられます。それに対し、explainは「理由、意味、意図などを分かりやすく論理的に述べる」場合に用いられます。

言葉で単に描写する	describe
分かりやすく論理的に述べる	explain

言葉で単に描写する

0816 The information retrieval system uses phrases to index, retrieve, organize and **describe** documents.
（その情報検索システムは、文書をインデックス化、検索、整理、及び**説明する**のにフレーズを用います）

0817 This chapter **describes** how to change the default settings of the database.
（この章では、データベースのデフォルト設定を変更する方法を**説明します**）

分かりやすく論理的に述べる

0818 Manufacturers must immediately identify and **explain** the causes and take appropriate actions if any problems are found in their products.
（製造会社は、自社の製品に問題が見つかった場合、速やかに原因を特定、**説明し**、適切な対策を講じる必要があります）

0819 This section **explains** the roles of the individual devices regarding network configuration.
（この節では、ネットワーク構成における各装置の役割について**説明します**）

V-057

選択する（〜を選択する）

choose, select

技術情報を伝える文章において、「強い意志、あるいは自由な裁量に基づいて選択する」ことを表現する場合にはchooseを用い、「許された複数の選択肢から最適なものを選択する」ことを表現する場合にはselectを用いるのが基本とされています。ただし実際には、多くの文脈においてこの2つの単語はあまり厳密に区別せずに用いられます。

強い意志、自由な裁量に基づいて選択する	choose
複数の選択肢から最適なものを選択する	select

強い意志、自由な裁量に基づいて選択する

0820 **Choosing** the right microcomputer for a product is one of the most important tasks for engineers.
（製品に見合ったマイコンの**選択**は、エンジニアにとって最も重要なタスクの1つです）

0821 Multiple files can **be chosen** by clicking target files one after another while pressing and holding the Ctrl key.
（Ctrlキーを押しながら目的のファイルを1つずつクリックすることで、複数のファイルが**選択**できます）

複数の選択肢から最適なものを選択する

0822 The route **selecting** section generates a feedback signal by **selecting** the first route or the second route.
（経路**選択**部は、第1経路または第2経路を**選択する**ことにより帰還信号を生成します）

0823 The control section operates in a mode **selected** from among multiple modes by the **selecting** switch.（制御部は、複数のモードの中から**選択**スイッチにより**選択された**モードで動作します）

V-058

増加する（～が増加する）（～を増加させる）

increase, increment

increaseが「必ずしも一定ではない値、数、量ごとの増加」を表すのに対し、incrementは「一定の値、数、量ごとの増加」を表します。

必ずしも一定ではない値、数、量ごとの増加	increase
一定の値、数、量ごとの増加	increment

必ずしも一定ではない値、数、量ごとの増加

0824 The gain of the speaker **increases** as the background noise level rises.
（スピーカーの利得は、背景ノイズレベルが高まるのに応じて**増加します**）

0825 The car manufacturer has successfully introduced innovative technologies into its new cars without largely **increasing** the number of parts.
（その自動車メーカーは、部品点数を大きく**増やす**ことなく、革新的な技術を首尾よく新しい車に導入しています）

一定の値、数、量ごとの増加

0826 When a knock is detected, the EGR rate **is incremented** by the value determined based on the NO_x concentration in the exhaust gas.
（ノックを検出したときに、EGR率は排ガス中のNO_x濃度に基づいて決定した値の分**増加します**）

0827 When electroplating is started, the current density **is incremented** in predetermined steps.
（電気メッキの開始時には、電流密度が所定のステップで**増加します**）

V-059

操作する（～を操作する）

manipulate, operate

技術情報を伝える文章において、manipulateは「データ、情報、コードなどを操作する」ことを表す動詞として用いられるのに対し、operateは「機械、機器、装置などを操作する」ことを表す場合に用いられます。

データ、情報、コードなどを操作する	manipulate
機械、機器、装置などを操作する	operate

データ、情報、コードなどを操作する

0828 Be careful not to use this function to directly **manipulate** data.
（この関数を、データを直接**操作する**ために使用しないよう気をつけてください）

0829 Personal information in a computer must be properly managed so that it **is** not **manipulated** by other people.
（コンピュータ内の個人情報は、他の人に**操作され**ないよう、適切に管理しなければなりません）

機械、機器、装置などを操作する

0830 The touch panel has been designed so as to **be** easily **operated** no matter which hand is used.
（そのタッチパネルは、どちらの手でも**操作し**やすいように設計されています）

0831 The appropriate placement of buttons and other controls is an important factor in allowing products to **be operated** easily.
（ボタン類の適切な配置は、製品の**操作**を容易にするうえでの重要な要因です）

V-060

送信する（～を送信する）

send, transfer, transmit

「電波のみを用いて送信する」場合にはsendとtransmitが一般的に用いられますが、それ以外の「送信する」全般を表す動詞としては、send, transfer, transmitがあまり厳密に区別せずに用いられます。

「送信する」全般	send, transfer, transmit
電波のみを用いて送信する	send, transmit

「送信する」全般

0832 The image management system serves to **send** [**transfer** / **transmit**] image data to arbitrary destinations.
（その画像管理システムは、画像データを任意の宛先に**送信する**役目を果たします）

0833 Upon detecting the occurrence of specified events, the host computer **sends** [**transfers** / **transmits**] notification packets to the LAN analyzer.
（指定された事象の発生を検知すると、ホストコンピュータは通知するパケットをLANアナライザへ**送信します**）

電波のみを用いて送信する

0834 The antenna system has a wide directivity and can **send** [**transmit**] and receive multiple radio wavelengths.
（そのアンテナ装置は広い指向性を有し、複数の波長の電波を**送**受信できます）

0835 A control panel that includes a radio unit **sends** [**transmits**] and receives control signals using that unit.
（無線装置を搭載するコントロールパネルは、その無線装置を用いて制御信号を**送**受信します）

V-061

装着する（～を装着する）

attach, insert, load, mount

装着するものが「小さなもの、頻繁に外すもの」ならattach、「頻繁には外さないもの」ならmountを用いるのが基本とされますが、実際にはこの2つの単語は厳密に区別せずに用いられます。また、「人体に装着する」場合にはattach、USBメモリのように「挿入することで装着する」場合にはinsert、バッテリーパックのように「収容することで装着する」場合にはloadを用います。

小さなものや頻繁に外すものを装着する、人体に装着する	attach
頻繁には外さないものを装着する	mount
挿入することで装着する	insert
収容することで装着する	load

小さなものや頻繁に外すものを装着する、人体に装着する

0836 The cuff for a blood pressure gauge can **be** easily **attached** to an upper arm.（その血圧計用カフは、上腕に簡単に**装着**できます）

頻繁には外さないものを装着する

0837 **Mounting** the unit makes it possible to detect 3-D images.
（そのユニットを**装着する**ことで、3D画像の検出ができます）

挿入することで装着する

0838 The LED on the flash drive blinks when the drive **is inserted**.
（そのフラッシュドライブ上のLEDは、ドライブが**装着された**ときに点滅します）

収容することで装着する

0839 When **loading** batteries, be careful not to reverse their polarities.
（電池を**装着する**際は、その極性を逆にしないように注意してください）

V-062

中止する（～を中止する）

abandon, discontinue, stop

技術情報を伝える文脈において、「中止する」という意味を表す動詞として主に用いられるのはabandon、discontinue、stopです。これらの動詞は以下のように使い分けられます。

計画、戦略、再作などを中止する	abandon
生産、販売、プロモーション、サポートなどを中止する	discontinue
機械、機器、装置などの運転、操作、動作を中止する	stop

計画、戦略、再作などを中止する

0840 The precision equipment manufacturer **has abandoned** its plan to relocate its all factories overseas.
（その精密機器メーカーは、すべての自社工場を海外へ移転する計画を**中止しました**）

生産、販売、プロモーション、サポートなどを中止する

0841 Production of the model is scheduled to **be discontinued** due to difficulty in obtaining necessary parts.
（そのモデルの生産は、必要な部品が入手困難であるとの理由で**中止される**予定です）

機械、機器、装置などの運転、操作、動作を中止する

0842 When the water-level transmitter detects the lowest permissible water level, the regulating valve is closed to **stop** the drainage.
（水位発信器が下限水位を検出すると、排水を**中止する**ために、調節弁が閉じられます）

V-063

中断する（〜が中断する）（〜を中断する）

interrupt, suspend

「連続して行われている動作、処理などをその過程で中断する」ことに強い意味を持たせる場合には、interruptが用いられます。それに対し、「過程における」中断であることが重要ではなく、「操作や処理全体の中断」であることに強い意味を持たせる場合には、suspendが用いられます。

動作、処理などをその過程で中断する	interrupt
操作や処理全体を中断する	suspend

動作、処理などをその過程で中断する

0843 Printing processing **is interrupted** when a discrepancy in the size of paper is detected while multiple printing mediums are being continuously conveyed.
（複数の印刷媒体の連続的な搬送中に用紙サイズの不一致が検出されると、印刷処理は**中断されます**）

0844 The multi-link controller can prevent communications from **being interrupted** when a line disturbance occurs.
（そのマルチリンク制御装置は、回線障害が生じた際に通信が**中断される**のを防ぐことができます）

操作や処理全体を中断する

0845 The development of the therapeutic agent **has been suspended** due to unexpected possible side effects.
（治療薬の開発は、予期せぬ副作用の可能性のために**中断されています**）

0846 The device for supporting the formulation of a course plan serves to prevent maintenance work from **being suspended**.
（進路計画の作成を支援するためのその装置は、保守作業が**中断される**のを防ぐ役割を果たします）

V-064

作る（〜を作る）

create, generate, make

「これまでに存在しなかったものを新たに作る（創り出す）」場合にはcreate、「複数のものを一緒にせずに何かを作る」場合や「機械、機器、装置などによって何かを作る」場合にはgenerate、「複数のものを一緒にして何かを作る」場合にはmakeを用いるのが原則です。しかし実際には、「新しいものを作る」、「機械などによって何かを作る」という意味でもmakeが多用されます。

存在しなかったものを新たに作る（創り出す）	create
複数のものを一緒にせずに何かを作る	generate
機械、機器、装置などによって何かを作る	generate
複数のものを一緒にして何かを作る	make

存在しなかったものを新たに作る（創り出す）

0847 It will take more than one year to **create** a safe, effective vaccine.
（安全で効果的なワクチンを**作る**のには、1年以上を要するでしょう）

複数のものを一緒にせずに何かを作る

0848 The steel plate is made nonmagnetic by **generating** an opposing magnetic field.（対立する磁場を**作る**ことで、鋼板は非磁性化されます）

機械、機器、装置などによって何かを作る

0849 Various three-dimensional objects can **be generated** by a 3-D printer.（3Dプリンターで、さまざまな立体物を**作る**ことができます）

複数のものを一緒にして何かを作る

0850 Petroleum is used to **make** a range of petrochemical products.
（石油は、さまざまな石油化学製品を**作る**のに用いられます）

V-065

低下する（〜が低下する）（〜を低下させる）

decline, decrease, lower

技術情報を伝える多くの文脈で、「低下する／低下させる」という意味を表す動詞としてdecreaseが用いられます。また、lowerも他動詞として多用されます。「温度、濃度、輝度、圧力、出力などの低下」を表す自動詞としてはdeclineも用いられます。

「低下する／低下させる」全般	decrease, lower（他動詞として）
温度、濃度、輝度、圧力、出力などの低下	decline（自動詞として）, decrease, lower（他動詞として）

「低下する／低下させる」全般

0851 The welding torch **decreases** [**lowers**] neither the operability nor the cooling capability.
（その溶接トーチは、操作性も冷却能力も**低下させる**ことはありません）

0852 The heat insulating panel can prevent the fireproof performance from **being decreased** [**lowered**].
（断熱パネルは、防火性能の**低下**を防止できます）

温度、濃度、輝度、圧力、出力などの低下

0853 When the average brightness value **declines** [**decreases**], the output duty ratio of the microcomputer changes accordingly.
（平均輝度値が**低下する**と、それに応じてマイコンの出力デューティ比が変化します）

0854 When the battery voltage **declines** [**decreases**], the output voltage of the pressure sensor changes accordingly.
（バッテリー電圧が**低下する**と、それに応じて圧力センサーの出力電圧が変化します）

V-066

停止する（～が停止する）（～を停止させる）

abort, stop

「動作、運転、処理などの停止」、「プログラム、スクリプトなどの停止」、「機械、機器、装置などの停止」を表す動詞としては、stopが一般的に用いられます。「プログラム、スクリプトなどの停止」については、abortも用いられます。

動作、運転、処理などの停止	stop
プログラム、スクリプトなどの停止	stop, abort
機械、機器、装置などの停止	stop

動作、運転、処理などの停止

0855 When the amount of water storage in the tank goes below a certain level, the compressing operation of the pump **is stopped** automatically.
（タンクの貯水量が所定のレベルを下回ると、ポンプの加圧動作は自動的に**停止**します）

プログラム、スクリプトなどの停止

0856 The program development support device allows the user to easily distinguish between a program being executed and a program **being stopped** [**aborted**] on the screen.
（そのプログラム開発支援装置は、実行中のプログラムと**停止中の**プログラムとを画面上で容易に判別することを可能にします）

機械、機器、装置などの停止

0857 This device is capable of **stopping** the engine in the case of an emergency.
（この装置は、緊急時にエンジンを**停止させる**ことができます）

V-067

転換する（～を転換する）

change, transform

日本語の「転換する」は、一般的には「物質的なものではなく抽象的なものを別のものに変える」ことを表します。英語の場合、「方法、手法、手段、方針、アイデアなどを転換する」ことを表す動詞としてはtransform、「進む（動く）向きを転換する」ことを表す場合はchangeが多用されます。

方法、手法、手段、方針、アイデアなどを転換する	transform
進む（動く）向きを転換する	change

方法、手法、手段、方針、アイデアなどを転換する

0858 Automobile manufacturers have promoted **transforming** their design approaches to the development of driverless cars.
（自動車メーカーは、設計アプローチの自動運転車の開発への**転換**を促進しています）

0859 More and more Japanese companies in a number of industries will have to **transform** their business policies in response to the nation's expected population decline.
（予期される国内の人口減少に対処すべく、多くの産業において、ますます多くの日本の企業が事業方針を**転換**せざるをえなくなるでしょう）

進む（動く）向きを転換する

0860 The vehicle is capable of easily and quickly **changing** its direction.
（その車両は、容易に素早く方向を**転換する**ことができます）

0861 The light emitting diode **changes** the direction of light emitted from a light emitting diode element.
（その発光ダイオードは、発光ダイオード素子から放出される光の方向を**転換します**）

V-068

転送する（～を転送する）

forward, transfer

技術情報を伝える日本語の文章で、「送信する」とすべきところを「転送する」としているものを多く目にします。「転送する」の本来の意味である「送られてきたものをさらに他にあてて送る」という意味を表す動詞としては、英語ではforwardとtransferを区別なく用いることができます。

0862 The packet relay system is capable of effectively dispersing the load for **forwarding** [**transferring**] packets.
（そのパケット中継システムは、パケットを**転送する**際の負荷を効果的に分散することができます）

0863 The relay device temporarily accumulates received packets in its buffer and **forwards** [**transfers**] them at the specified intervals.
（中継装置は、受信したパケットを一旦バッファに蓄積し、所定の周期で**転送します**）

0864 The content relay service device reduces the data volume of web content before **forwarding** [**transferring**] it.
（そのコンテンツ中継サービス装置は、Webコンテンツのデータ量を削減してから、それらを**転送します**）

0865 The network repeater **forwards** [**transfers**] a membership report received from a terminal to the server.
（そのネットワーク中継機器は、端末から受信したメンバーシップ・レポートをサーバへ**転送します**）

0866 Each relay node of a path **forwards** [**transfers**] the first message transmitted by a source node.
（パスの各中継ノードは、起点ノードから送信された第一メッセージを**転送します**）

V-069

転倒する（～が転倒する）

fall over, overturn

「機械、機器、装置などが転倒する」という意味を表す動詞としては、fall overとoverturnのどちらも多用されます。ただし、fall overには「落ちる」という意味もあるため、誤解が生じる可能性のある文脈ではoverturnを用いる必要があります。

0867 The safety device of a motorcycle can prevent the motorcycle from **falling over** [**overturning**] due to vibration or swing.
（二輪車の安全装置は、振動や揺れによる二輪車の**転倒**を防止することができます）

0868 The upright piano has a mechanism which prevents the piano from **falling over** [**overturning**] without being fixed onto the floor.
（そのアップライトピアノは、床に固定しなくても**転倒**を防止できるメカニズムを有しています）

0869 When a strong earthquake hit the Tohoku region this spring, a number of vending machines **fell over** [**overturned**].
（この春、東北地方を強い地震が襲った際に、多くの自動販売機が**転倒しました**）

0870 The wheelchair has a mechanism that prevents it from **falling over** [**overturning**] when its seat is tilted backward.
（その車いすは、座席を後ろに傾けた際に**転倒する**のを防止するメカニズムを有しています）

0871 A crane is designed so that it **will** not **fall over** [**overturn**] even when exposed to an extremely strong wind.
（クレーンは、著しい強風を受けた際にも**転倒し**ないように設計されます）

V-070

導入する（～を導入する）

adopt, implement, introduce

「ハードウエア（機械、機器、装置など）やソフトウエアを導入する」、「技術、手法、手段、アイデアなどを導入する」という意味を表す動詞としては、adopt、implement、introduceが区別なく用いられます。「気体、液体などを導入口を通して導入する」場合にはintroduceが用いられます。

ハードウエアやソフトウエアを導入する	adopt, implement, introduce
技術、手法、手段、アイデアなどを導入する	adopt, implement, introduce
気体、液体などを導入口を通して導入する	introduce

ハードウエアやソフトウエアを導入する

0872 A fingerprint authentication system **has been adopted [implemented / introduced]** at the room entrance.
（部屋の入り口に指紋認証システムが**導入されています**）

技術、手法、手段、アイデアなどを導入する

0873 **Adopting [Implementing / Introducing]** the new etching method makes it possible to evaluate etched surfaces more accurately.（その新しいエッチング手法の**導入**は、エッチング表面の、より正確な評価を可能にします）

気体、液体などを導入口を通して導入する

0874 After the gas in the apparatus is discharged, argon gas and reactive gas **are introduced** into the apparatus through two different inlets.
（装置内のガスが排気された後で、2つの異なる吸気口からアルゴンガスと反応性ガスが**導入されます**）

V-071

取り付ける（～を取り付ける）

attach, mount

「小さなもの、頻繁に取り外すものを取り付ける」場合にはattach、「頻繁には取り外さないものを取り付ける」場合や「何らかの土台に取り付ける」場合にはmountが多用されます。

小さなもの、頻繁に取り外すものを取り付ける	attach
頻繁には取り外さないものを取り付ける	mount
何らかの土台に取り付ける	mount

小さなもの、頻繁に取り外すものを取り付ける

0875 An internal pressure sensor **is attached** to the inner side of the tire.
（内圧センサーが、タイヤの内側に**取り付けられます**）

0876 The electrodes of the brainwave sensor can **be** easily **attached** to an examinee's head.
（脳波センサーの電極は、被験者の頭に簡単に**取り付ける**ことができます）

頻繁には取り外さないものを取り付ける

0877 The spectrum filter of the radiation system **is mounted** on the movable mount.
（その放射システムのスペクトルフィルタは、可動マウントに**取り付けられます**）

何らかの土台に取り付ける

0878 The monitoring camera **is mounted** on the pedestal through a fixture.
（その監視カメラは、固定具で架台上に**取り付けられます**）

V-072

直す（～を直す）

fix, repair

「機械、機器、装置などの不具合を直す」という意味を表す動詞としては、fixとrepairが区別なく用いられます。

0879 Using laser beams, the inspection and repair device is capable of swiftly inspecting the inside of a pipe and **fixing [repairing]** detected defects.
（その検査補修装置は、レーザービームによって迅速に管の内部を検査し、検出した欠陥を**直す**ことができます）

0880 The wiring structure of the organic light-emitting display allows any short-circuit defect between the wiring lines to **be** easily **fixed [repaired]**.
（その有機ELディスプレイの配線構造は、配線間のあらゆる短絡欠陥を簡単に**直す**ことを可能にします）

0881 The gas meter system can detect the wire breakage of a communication line so that it can **be fixed [repaired]** before the occurrence of a communication failure.
（そのガスメーターシステムは、通信不具合が生じる前に**直せる**ように通信線の断線を検出することができます）

0882 The electronic parts repair apparatus uses laser heating to **fix [repair]** the defects of minute electronic parts.
（その電子部品リペア装置は、微小な電子部品の欠陥を**直す**のに、レーザー加熱を用います）

0883 The rubber composition allows any defective portions on the inner surface of a pneumatic tire to **be** easily **fixed [repaired]**.
（そのゴム組成物は、空気式タイヤの内面のあらゆる欠陥部分を簡単に**直す**ことを可能にします）

V-073

入力する（～を入力する）

enter, input

「情報、データ、パラメータ、値などを入力する」ことを表す動詞としては、enterとinputが区別なく用いられます。「信号、電力、エネルギーなどを入力する」場合にはinputを用います。

情報、データ、パラメータ、値などを入力する	enter, input
信号、電力、エネルギーなどを入力する	input

情報、データ、パラメータ、値などを入力する

0884 The data conversion section converts **entered** [**input**] data based on the data mapping rule.
（データ変換部は、**入力された**データをデータマッピングルールに基づいて変換します）

0885 The image processing unit reads the correction values corresponding to **entered** [**input**] values from the storage unit.
（画像処理部は、**入力された**値に対応する補正値を記憶部から読み込みます）

信号、電力、エネルギーなどを入力する

0886 Even when signals **are input** at short intervals, the signal processor performs appropriate operations depending on input signals.
（その信号処理装置は、短い間隔で信号が**入力され**ても、入力信号に応じた適切な動作を行います）

0887 Battery power **is input** to one core metal plate, and alternator power **is input** to the other core metal plate.
（一方のコア金属板にはバッテリーの電力が**入力され**、もう一方のコア金属板には交流電源の電力が**入力されます**）

V-074

配置する（〜を配置する）

lay out, position

「機械、機器、装置などを配置する」、「デスクトップ、ウェブページなどに表示、掲載するアイテムを配置する」といった意味を表す動詞としては、lay outとpositionのどちらも多用されます。

0888 The device management system allows devices to **be** efficiently **laid out [positioned]**.
（その機器管理システムは、機器を効率的に**配置する**ことを可能にします）

0889 The fuel cell system allows constituent devices to **be** efficiently **laid out [positioned]**, thus preventing mutual electromagnetic interference.
（その燃料電池システムは、構成機器を効率よく**配置し**、相互の電磁干渉を防ぐことを可能にします）

0890 With the CAD system, components can **be** efficiently **laid out [positioned]** when assemblies are built.
（CADシステムにより、組立品を作製する際に部品を効率的に**配置する**ことができます）

0891 When any of the icons **laid out [positioned]** on the icon display screen is selected, the details of the digital resource corresponding to the icon are shown.
（アイコン表示画面上に**配置された**アイコンのいずれかを選択すると、そのアイコンに対応するデジタルリソースの詳細が表示されます）

0892 The image processor is capable of **laying out [positioning]** images so that the appearance of the entire album becomes attractive.
（その画像処理装置は、アルバム全体の見た目が良くなるように画像を**配置する**ことができます）

V-075

配列する（～を配列する）

arrange, lay out

arrangeは「その場の状況に応じて臨機応変に配列する」場合に用いられるのに対し、lay outは「あらかじめ決められた通りに（決まった様式に従って）配列する」場合に用いられます。

その場の状況に応じ臨機応変に配列する	arrange
あらかじめ決められた通りに配列する	lay out

その場の状況に応じ臨機応変に配列する

0893 The substrate cleaning method allows cleaning tanks to **be** arbitrarily **arranged** depending on cleaning routines.
（その基板洗浄技術は、洗浄のルーティンに応じて任意に洗浄槽を**配列する**ことを可能にします）

0894 The measuring instrument enables a user to **arrange** the displays of the data channels so as to be more readable.
（その測定機器は、データチャネルの表示をより読みやすくなるように**配列する**ことを可能にします）

あらかじめ決められた通りに配列する

0895 The mounting apparatus is capable of reducing the time required to **lay out** conductive balls on a substrate.
（その実装装置は、基板上で導電性ボールを**配列する**のに要する時間を短縮できます）

0896 Small grids **are laid out** so that the interval of neighboring small grids does not exceed the size of one pixel of the X-ray image detector.
（小グリッドは、隣接する小グリッドの間隔がX線画像検出器の1画素のサイズを超えないように**配列されます**）

V-076

外す（～を外す）

detach, disconnect, remove

「物理的に接続しているものを外す」場合には、detachとdisconnectを区別なく用います。ただし、反対語の「付ける、接続する」とともに用いる場合、attach（～を付ける）とdetach、connect（～を接続する）とdisconnectを対にして用いる必要があります。また、「一部または全体を覆っているものを外す」、「構成している一部を全体から外す」場合にはremoveが一般的に用いられます。

物理的に接続しているものを外す	detach, disconnect
一部または全体を覆っているものを外す	remove
構成している一部を全体から外す	remove

物理的に接続しているものを外す

0897 When **detaching** [**disconnecting**] the power cable from an outlet, be sure to hold the plug of the cable.（電源ケーブルをコンセントから**外す**際は、必ずケーブルのプラグ部分を持ってください）

一部または全体を覆っているものを外す

0898 The battery of the security lamp for service interruption can be replaced without **removing** the front cover of the distribution board.
（その停電用保安灯の電池は、分電盤の前面カバーを**外す**ことなく交換できます）

構成している一部を全体から外す

0899 The rotor can **be removed** from the centrifuge and cleaned in the sink.
（そのローターは、遠心分離機から**外して**、シンクで汚れを落とせます）

V-077

反転する（～が反転する）（～を反転させる）

invert, reverse

「左右、上下、方向、向き、順序の反転」を表す動詞としては、invertとreverseのどちらも多用されます。

0900 The video processing section **inverts** [**reverses**] the top/bottom of an image on the monitor depending on determination signals.
（映像処理部は、モニターの画像の上下を、判定信号に応じて**反転させます**）

0901 The drive control circuit **inverts** [**reverses**] the drive direction of the driven body by changing the duty ratio of the drive signals.
（駆動制御回路は、駆動信号のデューティ比を変更することによって被駆動体の駆動方向を**反転させます**）

0902 A speaker unit oscillates when the phase of feedback signals **is inverted** [**reversed**].
（スピーカーユニットは、フィードバック信号の位相が**反転する**と発振します）

0903 The bus driver circuit **inverts** [**reverses**] signals applied to the second data bus and outputs them to the third data bus.
（バスドライバ回路は、第2データバスに印加される信号を**反転させ**、第3データバスへ出力します）

0904 The subtractor **inverts** [**reverses**] the pixel value of each position on input image data before outputting the data.
（その減算器は、入力画像データ上の各位置の画素値を**反転させて**データを出力します）

0905 The data output sequence **is inverted** [**reversed**] depending on scan direction control signals.
（データ出力の順序は、スキャン方向制御信号に応じて**反転されます**）

V-078

反応する（～に反応する）

react, respond

「ある出来事、現象などに対して自然に反応する」のであればreactを、「何かを意図的に伝えるために反応する」のであればrespondを用いるのが基本だとされています。ただし、実際にはそのどちらとも判別できないような文脈も多く、この2つの単語は多くの文脈であまり厳密に区別せずに用いられます。

自然に反応する	react
何かを意図的に伝えるために反応する	respond

自然に反応する

0906 A fuel cell generates power by forcing a fuel to **react** with oxygen.
（燃料電池は、燃料を酸素と**反応**させることで発電します）

0907 The sensor **reacts** to sound, oscillation and light and automatically emits light.
（そのセンサーは、音、振動、明るさに**反応し**、自動的に光を発します）

何かを意図的に伝えるために反応する

0908 The guide robot can **respond** to seven languages, including Japanese, English, French and Chinese.
（そのガイドロボットは、日本語，英語，フランス語，中国語を含む7か国語に**反応**できます）

0909 A video game is embedded with objects that **respond** to the movements of a player.
（ビデオゲームにはプレイヤの動きに**反応する**オブジェクトが組み込まれています）

V-079

表示する（〜を表示する）

display, indicate

「画面、スクリーン上に、ウインドウ、メニュー、説明、メッセージ、画像、ボタン、アイコンなどを表示する」場合にはdisplay、「7セグメントLEDディスプレイ上に英数字でエラーなどのステータスを表示する」、「LEDインジケータの点灯によってエラーなどのステータスを表示する」場合にはindicateが用いられます。

画面、スクリーン上にウインドウなどを表示する	display
7セグメントLEDディスプレイ上に英数字でステータスを表示する	indicate
LEDインジケータの点灯によってステータスを表示する	indicate

画面、スクリーン上にウインドウなどを表示する

0910 After the installation is started, a progress bar **is displayed** that shows that the installation is in progress.（インストールが始まると、インストールが進行中であることを示すプログレスバーが**表示されます**）

7セグメントLEDディスプレイ上に英数字でステータスを表示する

0911 The 7-segment display is used to graphically **indicate** error codes with seven segments.（7セグメントディスプレイは、7つのセグメントでエラーコードを図的に**表示する**のに使用されます）

LEDインジケータの点灯によってステータスを表示する

0912 The current status of the device **is indicated** by the five LED indicators on the control panel.（装置の現在のステータスは、コントロールパネル上の5個のLEDインジケータによって**表示されます**）

V-080

含む（～を含む）

contain, include

containは「容器、箱、袋などの中に物がある」という意味の「含む」を表し、includeは「全体の一部（一要素）として含む」という意味を表す場合に用います。

容器などの中に含む	contain
全体の一部（一要素）として含む	include

容器などの中に含む

0913 The reaction vessel of the electrolytic light-emitting device **contains** electrolytic solution.
（電解発光装置の反応容器は、電解液を**含んでいます**）

0914 An infusion set is mainly composed of an infusion bag **containing** medicinal solution, a drip cylinder, an infusion pump and infusion tubes.
（輸液セットは、主に薬液を**含む**輸液バッグ、点滴筒、輸液ポンプ、及び輸液チューブで構成されます）

全体の一部（一要素）として含む

0915 The top-surface electrode and bottom-surface electrode of the semiconductor device both **include** a plating layer.
（その半導体装置の表面電極と裏面電極は、どちらもめっき層を**含んでいます**）

0916 The duplexer **includes** a surface acoustic wave device that functions as a filter.
（そのデュプレクサはフィルタとして機能する表面音響波デバイスを**含んでいます**）

V-081

防ぐ（～を防ぐ）

prevent, protect

preventは「好ましくないことが生じるのを防ぐ」という意味の一般的な動詞として広く用いられます。それに対し、protectは「人、物に対する危険、危害、損傷、損害、損失などを防ぐ」場合に用いられます。

好ましくないことが生じるのを防ぐ	prevent
人、物に対する危険、危害、損傷、損害、損失などを防ぐ	protect

好ましくないことが生じるのを防ぐ

0917 The electronic endoscope has an auto light-regulating function to **prevent** halation.
（その電子内視鏡は、ハレーションを**防ぐ**自動調光機能を備えています）

0918 The planarization layers and high-density layers jointly **prevent** water and oxygen from percolating.
（平坦化層と高密度層は一緒に作用し、水と酸素が浸透するのを**防ぎます**）

人、物に対する危険、危害、損傷、損害、損失などを防ぐ

0919 The LED lighting device can **protect** against an explosion even if used in a dangerous area.
（そのLED照明装置は、たとえ危険領域で使用されたとしても、破裂を**防ぐ**ことができます）

0920 The reader can **protect** the driver circuit from being damaged by electrostatics and external light.
（その読取装置は、ドライバ回路が静電気や外光により損傷するのを**防ぐ**ことができます）

V-082

分割する（〜を分割する）

divide, partition, split

divideは「全体を個々に意味のある部分に分割する」ことを表す動詞として広く用いられます。そして、「ハードディスク、SSD、USBメモリなどを分割する」のであればpartition、「何らかの力によって強制的に分割する」場合にはsplitが多用されます。

全体を個々に意味のある部分に分割する	divide
ハードディスク、SSD、USBメモリなどを分割する	partition
何らかの力によって強制的に分割する	split

全体を個々に意味のある部分に分割する

0921 The logic composition system can properly **divide** and integrate a logic composition block.
（その論理合成システムは、論理合成ブロックを適切に**分割**、統合**する**ことができます）

ハードディスク、SSD、USBメモリなどを分割する

0922 If the hard disk **has been partitioned**, a different size can be specified for each Recycle Bin.
（ハードディスクが**分割されている**と、ごみ箱ごとに異なるサイズを指定することができます）

何らかの力によって強制的に分割する

0923 The X-ray beam coming from the undulator **is split** by a transparent double crystal monochromator.
（アンジュレータからのX線ビームは、透明な2結晶分光器によって**分割されます**）

V-083

噴出する(〜が噴出する)(〜を噴出させる)

blow out, spout, spurt

何が「噴出する」のかによって単語を使い分けます。「気体の噴出」の場合にはblow outが用いられます。一方、「液体の噴出」の場合にはspoutとspurtが区別なく用いられます。

気体の噴出	blow out
液体の噴出	spout, spurt

気体の噴出

0924 The air pump activates and **blows out** air in bubbles from the air diffusion plate.
(エアポンプが作動し、空気を散気板から気泡の状態で**噴出させます**)

0925 This battery pack has a mechanism that prevents smoking and ignition from occurring when its flammable gas **blows out**.
(このバッテリーパックは、内部の可燃性ガスが**噴出する**ときに煙や火が発生するのを防ぐ仕組みを有しています)

液体の噴出

0926 The pressure of the washing water supplied from its inlet causes the piston portion to progress so that the washing water **spouts** [**spurts**] from the outlet of the piston portion.
(注入口から供給された洗浄水の圧力によりピストン部は前進し、ピストン部の排水口から洗浄水が**噴出します**)

0927 The hot water heating device is capable of preventing liquid from **spouting** [**spurting**] out of the liquid inlet during liquid injection.
(その温水暖房装置は、注液の際に、液が注液口から**噴出する**のを防ぐことができます)

V-084

分離する（～を分離する）

disconnect, separate

「分離する」という意味を表す一般的な動詞としては、separateが広く用いられます。また、「組み合わされた（組み込まれた）全体から元々1つの個体（ユニット）として存在するものを分離する」場合には、disconnectも多用されます。

「分離する」全般	separate
元々1つの個体（ユニット）として存在するものを分離する	disconnect, separate

「分離する」全般

0928 The water remover is capable of **separating** moisture in the compressed air without condensing it.
（その水分除去器は、圧縮空気中の水蒸気を凝縮することなく**分離**できます）

0929 The signal-**separating** device **separates** power carrier waves and signal waves from waves coming from the distribution line.（その信号**分離**装置は、配電線からの受信波から電力搬送波と信号波を**分離します**）

0930 The sheet-feeding apparatus can reliably **separate** even very thin sheets.（そのシート給送装置は、非常に薄いシートであっても確実に**分離する**ことができます）

元々1つの個体（ユニット）として存在するものを分離する

0931 The lower steering shaft can **be disconnected [separated]** from the steering box just by removing a single bolt.
（下部のステアリングシャフトは、ボルトを1本外すだけでステアリングボックスから**分離する**ことができます）

0932 The tray can **be disconnected [separated]** from the bioreactor so that it can be easily accessed by an operator.（トレイは生物反応器から**分離**できるので、オペレータによるトレイへのアクセスは容易となります）

V-085

分類する（～を分類する）

categorize, classify

「分類する」という意味を表す動詞としては、categorizeとclassifyを区別なく用いることができますが、どちらかと言えばclassifyのほうがより多く用いられます。

0933 The analyzer module detects wafer defects and **classifies** [**categorizes**] them into different defect types.
（そのアナライザモジュールは、ウエハーの欠陥を検出し、それらを異なる欠陥タイプに**分類します**）

0934 The cell image display device is capable of arranging and displaying cell images in an order that allows the user to easily **classify** [**categorize**] the cells.
（その細胞画像表示装置は、ユーザーが細胞を**分類し**やすい順序で細胞画像を並べて表示できます）

0935 The summarization system calculates the importance of words in a document with multiple scoring techniques and **classifies** [**categorizes**] the words based on the combined scores.
（その要約システムは、複数の採点技術を用いて文書中の単語の重要度を計算し、結合した採点結果に基づいて単語を**分類します**）

0936 The document management system **classifies** [**categorizes**] documents based on the determined security level and storage period.
（その文書管理システムは、定められたセキュリティレベルと保管期間に基づいて文書を**分類します**）

0937 The digital camera allows the user to easily **classify** [**categorize**] and retrieve photos.
（そのデジタルカメラは、ユーザーが写真を簡単に**分類し**、読み出すことを可能にします）

V-086

変換する（～を変換する）

convert, transform

「形状、性質、状態を全く別なものへと劇的に変換する」場合にはtransformを用い、「性質や状態を劇的とは言えない程度に変換する」場合にはconvertを用いるのが基本だとされています。ただし、実際には多くの文脈で、この2つの単語はあまり厳密に区別せずに用いられます。

形状、性質、状態を劇的に変換する	transform
性質や状態を劇的とは言えない程度に変換する	convert

形状、性質、状態を劇的に変換する

0938 The car can **be transformed** into an airplane in one minute just by pressing a single button.
（その車は、ボタンを1つ押すだけで、1分以内に飛行機へと**変換**できます）

0939 The robot toy can **be transformed** into a stylish car just by changing the positions of some specific parts.
（そのロボット玩具は、いくつかの特定のパーツの位置を変えるだけで、スタイリッシュな車に**変換**できます）

性質や状態を劇的とは言えない程度に変換する

0940 The hand control unit can **convert** an ordinary wheelchair into a hand-controlled power chair.
（そのハンドコントロールユニットは、普通の車椅子を、手で制御可能なパワーチェアに**変換する**ことができます）

0941 The electric vehicle has multiple methods for **converting** the voltage of a high-voltage battery into a predetermined low voltage.
（その電動車両は、高電圧バッテリーの電圧を所定の低電圧に**変換する**ための複数の手段を有しています）

V-087

変形する（～が変形する）（～を変形させる）

deform, distort

「何らかの個体の変形」を表す動詞としては、自動詞、他動詞ともにdeformが多用されます。distortは、変形するものが個体であるかどうかに関係なく広く用いられますが、他動詞としての用法しかないことに注意が必要です。

何らかの個体が変形する	deform
何らかの個体を変形させる	deform, distort
個体でないものを変形させる	distort

何らかの個体が変形する

0942 The rolling bearings used in the machine are less liable to wear or **deform** even when used under a high-load condition.
（その機械で用いられている転がり軸受は、高荷重条件下で使用されても摩耗や変形が生じにくいです）

何らかの個体を変形させる

0943 The IC package socket neither **deforms** [**distorts**] nor scratches an IC package body.
（そのICパッケージ用ソケットは、ICパッケージ本体を**変形させたり**傷付けたりすることはありません）

個体でないものを変形させる

0944 The dispersion compensator compensates the waveform degradation of optical signals whose waveforms **are distorted** in the transmission path.
（その分散補償器は、伝送路で波形が**変形された**光信号の波形劣化を補償します）

V-088

変更する（〜を変更する）

alter, change

「仕様、設計、設定、値、情報、レイアウト、計画などを変更する」ことを表す動詞としては、changeが一般的に用いられます。しかし、変更が部分的であることを意識的に伝えたいが、文脈の中でchangeではそれが明確にならないような場合には、副詞のpartiallyを加えるか、「部分的に変更する」ことを1語で表すalterを用います。

「変更する」全般	change
部分的に変更する	alter

「変更する」全般

0945 The classpath settings of the entire script can **be changed** by merely **changing** the value of the specified property.
（指定されたプロパティの値を**変更する**だけで、スクリプト全体のクラスパス設定を**変更する**ことができます）

0946 In a case where design data need to **be changed**, the design data management system reports a change schedule prior to the actual change.（設計データを**変更する**必要がある場合、その設計データ管理システムは、実際の変更前に変更予定を通知します）

部分的に変更する

0947 Even if the specifications of the control target device **are altered**, the firmware does not need to be rewritten.（制御対象の装置の仕様が（部分的に）**変更され**ても、ファームウエアは書き換えられる必要はありません）

0948 When a production plan needs to **be altered**, the production planning support system automatically presents a revised plan.
（生産計画を（部分的に）**変更する**必要がある場合、その生産計画支援システムは、修正した計画を自動的に提供します）

V-089

放射する（～を放射する）

emit, radiate

「何らかのエネルギーを放射する」、あるいは「エネルギーを有するものを放射する」という意味を表す動詞としては、emitとradiateが区別なく用いられます。

0949 The wavelength conversion filter has a high light resistance and can **emit [radiate]** fluorescent lights at high intensity.
（その波長変換フィルタは高い耐光性を有し、高強度の蛍光を**放射**できます）

0950 The discharge lamp is capable of **emitting [radiating]** an arbitrary amount of ultraviolet rays in a stable manner.
（その放電ランプは、任意の量の紫外線を安定して**放射**できます）

0951 The laser element driving circuit enables the first and second laser elements to **emit [radiate]** laser beams in different wavelengths.
（レーザー素子駆動回路は、第1及び第2レーザー素子が異なった波長のレーザー光を**放射する**のを可能にします）

0952 When the composite materials are burned, the organic elements form char layers and the inorganic particles **emit [radiate]** absorbed heat.
（複合材料が燃焼する際に、有機成分は炭化層を形成し、無機粒子は吸収した熱を**放射します**）

0953 The noise filter circuit reduces high-frequency noise **emitted [radiated]** from an AC cord.
（ノイズフィルタ回路は、ACコードから**放射される**高周波ノイズを低減します）

0954 The electromagnetic-wave transmitting/receiving device is capable of detecting and **emitting [radiating]** electromagnetic waves with high angular precision.
（その電磁波送受信装置は、高い角度精度で電磁波を検出し、**放射すること**ができます）

V-090

膨張する（〜が膨張する）（〜を膨張させる）

expand, inflate

「気体の膨張」あるいはバルーンの膨張のような「内部の気体の膨張により生じる膨張」を表す動詞としては、expandとinflateのどちらも用いられますが、どちらかと言えばexpandのほうがより多く用いられます。「固体、液体の膨張」を表す場合にはexpandを用います。

気体の膨張、内部の気体の膨張によって生じる膨張	expand, inflate
固体、液体の膨張	expand

気体の膨張、内部の気体の膨張によって生じる膨張

0955 The compressed air **is expanded [inflated]** by the turbine to generate cooling air.
（圧縮された空気は、タービンにより**膨張させられ**、冷気が生成されます）

0956 The airbag **is expanded [inflated]** by gas generated by the inflator.
（エアバッグは、インフレータにより発生するガスによって**膨張します**）

固体、液体の膨張

0957 The material coating device can accurately apply materials onto pixels formed on a substrate even if the substrate **expands** due to heat.
（その材料塗布装置は、熱で基板が**膨張して**も、基板上に形成された画素に対し材料を正確に塗布することができます）

0958 The water level in the tank changes as the water in the circulation passage **expands** and contracts.
（そのタンク内の水位は、循環系路内の水の**膨張**、収縮に応じて変化します）

V-091

保持する（～を保持する）

hold, keep, maintain, retain

技術情報を伝える文脈では、「何らかのものを持ち続ける」、「何らかの状態を保ち続ける」という意味での「保持する」を表す動詞としては、keepとretainが区別なく用いられます。「何らかの状態を保持する」という意味ではmaintainも用いられ、その場合は「同じ状態を（に）」のニュアンスを強めることができます。holdは「しかるべき位置に保つ」という意味を表す場合に用いられます。

何らかのものを保持する	keep, retain
何らかの状態を保持する	maintain, keep, retain
しかるべき位置に保持する	hold

何らかのものを保持する

0959 The shared-knowledge database **keeps** [**retains**] the information to be shared and utilized by individual robots.
（その共有知識データベースは、各ロボットが共有して利用する情報を**保持しています**）

何らかの状態を保持する

0960 The regulator has a throttle valve to **maintain** [**keep** / **retain**] a specific level of pressure in the mixer.
（そのレギュレータは、ミキサー内に所定の圧力を**保持する**ための絞り弁を有しています）

しかるべき位置に保持する

0961 The exposure device **holds** the substrate in the appropriate position using an electrostatic force.
（その露光装置は、静電気力によって基板を適切な位置に**保持します**）

V-092

保証する（～を保証する）

assure, guarantee, warrant

assureは、「～であることを受け合う」という広い意味での「保証する」を表す動詞として一般的に用いられます。それに対し、guaranteeは「販売した製品やサービスに問題が生じた場合の補償について約束する」こと、warrantはその「補償内容を契約として保証書などに明記し保証する」ことを表す場合に用いられます。

「保証する」全般	assure
補償について約束する	guarantee
補償内容を契約として明記し保証する	warrant

「保証する」全般

0962 In order to **assure** the stability of filter operations, the current fed to the filter is kept at a low level.（フィルタ動作の安定性を**保証する**ために、フィルタへの供給電流は低レベルで保持されます）

補償について約束する

0963 Some cosmetic companies **guarantee** that they will refund payment even after their products are entirely consumed if the expected results are not achieved.
（化粧品会社によっては、もし期待された効果が得られなければ、製品のすべてを使い切ったあとでも返金することを**保証しています**）

補償内容を契約として明記し保証する

0964 Generally, hardware manufacturers **warrant** that their products will be repaired free of charge if the products become defective during the warranty period.（通常、ハードウエアメーカーは、保証期間内に自社の製品に欠陥が生じた場合に無償で修理することを**保証しています**）

V-093

保存する（～を保存する）

preserve, save, store

「食品、医薬品、試料、材料、原料などを保存する」場合には、preserveとstoreを区別なく用いることができます。「ファイル、データ、情報、画像、設定などを保存する」場合には、saveとstoreが区別なく用いられます。また、「環境、景観、建物などを保存する」と言いたい場合には、preserveが一般的に用いられます。

食品、医薬品、試料、材料、原料などを保存する	preserve, store
ファイル、データ、情報、画像、設定などを保存する	save, store
環境、景観、建物などを保存する	preserve

食品、医薬品、試料、材料、原料などを保存する

0965 The food storage chamber is used to freshly **preserve [store]** perishable foods over a long period of time.
（食品保存室は、生鮮食品を長期にわたり新鮮に**保存する**のに用いられます）

ファイル、データ、情報、画像、設定などを保存する

0966 The file falsification detection program is capable of detecting the falsification of files that **have been saved [stored]**.
（ファイル改ざん検出プログラムは、**保存されている**ファイルの改ざんを検出することができます）

環境、景観、建物などを保存する

0967 The environment measurement device, which aims to **preserve** natural environments, is driven by renewable energy.
（自然環境の**保存**を目的としている環境計測装置は、再生可能エネルギーで駆動します）

V-094

磨く（～を磨く）

grind, polish, scrub

grind は「砥石、やすり、サンドペーパーなどで表面を削って磨く」場合に用いられ、polish は「艶が出るように磨く」場合に用いられます。また、scrub は「たわし、ブラシ、タオルなどでゴシゴシこすって磨く」場合に用いられます。

表面を削って磨く	grind
艶が出るように磨く	polish
ゴシゴシこすって磨く	scrub

表面を削って磨く

0968 The rotary grinding stones **grind** the edge of the blade while the blade cuts a semiconductor wafer.
（回転砥石は、ブレードで半導体ウエハーを切断している最中に、ブレードの刃先を**磨きます**）

艶が出るように磨く

0969 The polishing-agent application mechanism **polishes** shoes with a polishing agent such as silicon wax.
（艶出し剤塗布機構は、シリコンワックスなどの艶出し剤を用いて靴を**磨きます**）

ゴシゴシこすって磨く

0970 This vacuum cleaner is capable of **scrubbing** the floor with a rotary brush.
（この電気掃除機は、回転ブラシで床を**磨く**ことができます）

V-095

満たす（～を満たす）

meet, satisfy

「仕様、規格、基準、規定、要求などを満たす」ことを表す動詞としては、meetとsatisfyが区別なく用いられます。

0971 The brushless motor **meets** [**satisfies**] all the required specifications, including motor torque, even though it can be installed in a relatively small space.
（そのブラシレスモーターは、比較的小さなスペースに設置できるにもかかわらず、モータートルクを含むすべての要求仕様を**満たします**）

0972 The radar antenna **meets** [**satisfies**] the standards by preventing undesirable radiation without the need for a filter.
（そのレーダー空中線は、フィルタを要することなく不要輻射を抑えて基準を**満たします**）

0973 The operation instruction sound detection section determines whether signals based on pulse sound **meet** [**satisfy**] the specific criteria.
（動作指示音検出部は、パルス音に基づく信号が所定の基準を**満たす**か否かを判断します）

0974 The door of the elevator **meets** [**satisfies**] the fire door regulations and does not warp when a fire breaks out.
（そのエレベータの扉は防火扉の規定を**満たしており**、火災が起きてもゆがむことはありません）

0975 The information communication system is capable of selecting a communication route that **meets** [**satisfies**] the QoS requirements within the specified time.
（その情報通信システムは、QoS要求を**満たす**通信経路を規定の時間内に選択できます）

V-096

やめる（～をやめる）

quit, stop

quit は「再開しないことを前提にやめる」場合に用いられ、stop は「状況や必要に応じて再開することを想定したうえでやめる」場合に用いられます。

再開しないことを前提にやめる	quit
状況や必要に応じて再開することを想定したうえでやめる	stop

再開しないことを前提にやめる

0976 The company decided to **quit** producing and selling the product in question after several crucial problems had been reported.
（いくつかの致命的な問題が報告されたことを受け、その企業は当該製品の生産と販売を**やめる**ことを決定しました）

0977 It is widely known that **quitting** smoking significantly reduces the risk of lung cancer.
（タバコを**やめる**ことで肺がんになるリスクを大きく減らせることは、広く知られています）

状況や必要に応じて再開することを想定したうえでやめる

0978 The return value indicates whether the interpreter should **stop** the interpretation of commands.
（戻り値は、インタプリタがコマンドの解釈を**やめる**べきかどうかを示します）

0979 If an unusual sound is heard, immediately **stop** operating the machine and turn off its power supply.
（異常な音を耳にしたら、すぐに機械の操作を**やめて**電源を切ってください）

V-097

要求する（〜を要求する）

demand, request, require

「応じるかどうかの判断を相手（要求された側）にゆだねる形で要求する」場合にはrequestを用います。それに対し、「社会的な要因などにより応じざるを得ない強い要求をする」場合にはdemandが用いられます。また、「物事の達成や実行のために条件を満たすことを求める」場合にはrequestが用いられます。

応じるかどうかの判断を相手にゆだねる形で要求する	request
応じざるを得ない強い要求をする	demand
物事の達成や実行のために条件を満たすことを求める	require

応じるかどうかの判断を相手にゆだねる形で要求する

0980 The user authentication screen **requests** the user to change the password regularly to protect the system from hackers.
（ユーザー認証画面は、システムをハッカーから守るために、パスワードを定期的に変更するよう**要求します**）

応じざるを得ない強い要求をする

0981 Remediation of the system **has been demanded** by the client due to the frequent occurrence of system errors.
（頻繁に生じるシステムエラーのために、システムを改善するよう顧客から**要求されています**）

物事の達成や実行のために条件を満たすことを求める

0982 On the new model, a change in several of its specifications **is required** for it to be sold in the European market.
（そのニューモデルをヨーロッパ市場で販売するには、いくつかの仕様の変更が**求められます**）

V-098

落下する（〜が落下する）（〜を落下させる）

drop, fall

「ある主体からの落下」の場合にはdrop、「ある主体自体の落下」の場合にはfallが用いられます。ただし、どちらの意味の「落下」なのかが明確でない文脈も多く、そのような場合にはdropとfallが区別なく用いられます。

ある主体からの落下	drop
ある主体自体の落下	fall

ある主体からの落下

0983 The structure of the article storage device prevents articles from **dropping** from the elevating frame.
（その物品収納装置の構造は、物品が昇降枠から**落下する**のを防ぎます）

0984 The linear motor can prevent a magnet member from **dropping** when the power is turned off.
（そのリニアモーターは、電源停止時に磁石部材が**落下する**のを防止できます）

ある主体自体の落下

0985 Debris from the rocket launched one week ago **fell** into the Japan Sea yesterday.
（1週間前に打ち上げられたロケットの残骸が、昨日、日本海に**落下しました**）

0986 Pieces of a meteor were seen **falling** from the sky across the country in the middle of the day on Tuesday.
（隕石の一部が空から**落下する**のが、火曜日の日中に国内全域で目撃されました）

V-099

理解する（～を理解する）

comprehend, understand

「理解」には、「思考を働かせる必要のある理解」と、「思考を働かせる必要のない理解」があります。comprehendは「思考を働かせる必要のある理解」をする場合のみに用いられるのに対し、understandはどちらの意味の場合にも用いることができます。

思考を働かせる必要のある理解	comprehend, understand
思考を働かせる必要のない理解	understand

思考を働かせる必要のある理解

0987 The learning support system aims to help learners **comprehend** [**understand**] the content of textbooks and reference material through questions, answers and explanations.
（その学習支援装置は、教科書や参考書の内容を、問題、解答、解説を通して学習者に**理解させる**ことを目的としています）

0988 A procedure manual should be written so that readers can easily **comprehend** [**understand**] individual procedural steps.
（手順書は、手順の各ステップを読み手が簡単に**理解**できるように書かれる必要があります）

思考を働かせる必要のない理解

0989 This tool helps to intuitively **understand** the characteristics of the probability filters.
（このツールは、確率フィルタの特性を直観的に**理解する**のを助けます）

0990 The image forming device allows the user to **understand** the voice guidance message and visually identify the guided position.
（その画像形成装置は、ユーザーが音声案内を**理解し**、案内された位置を視覚的に特定することを可能にします）

V-100

割り当てる（～を割り当てる）

allocate, assign

allocateは、時間、資材、資金、労力、エネルギーなどのような「何かを行うために必要なリソースを割り当てる」場合に用いられるのに対し、assignは「割り当てる」という意味全般を表す一般的な動詞として用いられます。

「割り当てる」全般	assign
何かを行うために必要なリソースを割り当てる	allocate, assign

「割り当てる」全般

0991 A DHCP server can **assign** an IP address to a terminal, based on the MAC address of the terminal.
（DHCPサーバは、端末のMACアドレスに基づいて、その端末にIPアドレスを**割り当てる**ことができます）

0992 The information processing device is capable of **assigning** many functions to simple touch operations on a touch panel.
（その情報処理装置は、タッチパネル上の単純なタッチ操作に多くの機能を**割り当てる**ことができます）

何かを行うために必要な何らかのリソースを割り当てる

0993 Even when factors such as network congestion change, an appropriate CPU execution time **is allocated** [**assigned**] to individual tasks.（ネットワークの混雑度などの要因が変化しても、適切なCPU実行時間がそれぞれのタスクに**割り当てられます**）

0994 The resource allocation system **allocates** [**assigns**] appropriate information processing resources depending on the processing required by an application.（リソース割当システムは、アプリケーションから要求された処理に応じて適切な情報処理リソースを**割り当てます**）

INDEX

英単語のアルファベット順に並んでいます。N-000、V-000は見出し語番号、4桁の数字は例文番号です。例文に登場する単語については、見出し語と同じ品詞、同じ意味で用いられているものだけをピックアップしています。同じ綴りで名詞と動詞両方の用法がある単語については、品詞を区別するために、名詞には(N)、動詞には(V)を付けています。

B

C

D

E

F

G

H

I

K

L

M

O

P

Q

R

S

T

日本語から引く
技術英語の名詞・動詞使い分けハンドブック

発行日　2021年9月2日（初版）

著者：上田秀樹
編集：株式会社アルク 出版編集部
校正：渡邉真理子、Margaret Stalker
カバーデザイン：伊東岳美
本文デザイン・DTP：伊東岳美
カバー画像：Can Stock Photo: rahulred
印刷・製本：シナノ印刷株式会社
発行者：天野智之
発行所：株式会社アルク
〒102-0073 東京都千代田区九段北4-2-6 市ヶ谷ビル
Website：https://www.alc.co.jp/

Printed in Japan.
PC:7021053
ISBN:978-4-7574-3903-0